nivel **B1** audiolibro **colección n**

Las campanas de Almanzor

RAFAEL MARÍN

COLECCIÓN NOVELA HISTÓRICA

Autor: Rafael Marín
Coordinación editorial: Carmen Aguirre
Supervisión pedagógica: Emilia Conejo
Glosario y actividades: Emilia Conejo
Diseño y maquetación: rosacasirojo
Corrección: Silvia Comeche
Ilustración de cubierta: *The Pursuit (La persecución)*, de Adolf Schreyer
Locución: Xavier Miralles

© Difusión, Centro de Investigación y Publicaciones de Idiomas, S.L., 2011
ISBN: 978-84-8443-743-7
Depósito legal: B-5472-2011
Impreso en España por T. G. Soler
www.difusion.com

Índice

Novela Histórica
Las campanas de Almanzor

«Almanzor ha destruido la ciudad, pero no ha apagado las señales del cielo. Ved el campo de las estrellas. Ved cómo todavía y siempre señala el camino. Dice que estamos aquí. Que volveremos a estarlo. Siempre, hasta el fin de los tiempos»

Cómo trabajar con este libro

La colección **Novela Histórica** se acerca a diferentes períodos clave de la historia de España y Latinoamérica a través de novelas amenas y adaptadas al nivel de los estudiantes.

Para facilitar la lectura se incluye al final de cada página un glosario en español de las palabras y expresiones más difíciles, y al final del libro, un glosario de las traducciones al inglés, francés y alemán.

A lo largo del texto se han marcado en color morado algunas palabras y expresiones que hacen referencia a aspectos relacionados con la cultura o la historia del mundo del español, y que se explican en la sección de notas culturales.

Cada novela termina con una serie de actividades que sigue la siguiente estructura:

a) «Antes de leer». **Actividades para realizar antes de empezar a leer**. Ayudan a activar los conocimientos previos sobre el tema.

b) «Durante la lectura». Actividades destinadas a **pautar la comprensión de los diferentes capítulos**.

c) «Después de leer». Propuestas variadas que permiten **poner en práctica la comprensión auditiva y de lectura, la expresión oral y escrita, la interacción oral y escrita y la mediación**. Se trata de actividades abiertas que se pueden adaptar a las necesidades de cada lector.

d) «Léxico». Actividades para la **sistematización, la profundización y la ampliación del vocabulario**. Tienen el objetivo de favorecer un aprendizaje estratégico y la mayoría son de carácter abierto.

e) «Cultura». Sección dedicada a **profundizar en algunos de los temas culturales** que plantea el libro.

f) «Internet». En esta última sección se proponen **páginas web interesantes** para seguir investigando.

Capítulo I
Una campana al amanecer

—¿Has oído eso?

Martín abrió los ojos. Todavía no era de día. A su alrededor solo estaba el bosque oscuro. Abrió y cerró los ojos un par de veces, intentó taparse con la vieja manta.

—¡Escucha!

Sancho volvió a sacudirlo[1] con urgencia. Martín se levantó, se frotó[2] los ojos y se rascó[3] la cabeza.

—Yo no oigo nada —dijo, molesto por estar despierto cuando todavía no había amanecido.

—¡Calla! —ordenó Martín, orientándose. Señaló hacia el este—. El sonido viene de allí.

Martín se puso uno de sus zapatos de cuero. Estaba buscando el otro en la oscuridad cuando también él oyó el sonido lejano.

Una campana.

—¿Qué hora es? Todavía no ha salido el sol. No pueden estar llamando a rezar[4].

Sancho apagó con el pie los restos de la hoguera[5] que los había calentado durante la noche. Sacó un puñal[6] y cortó las

---

GLOSARIO

[1] **sacudir**: mover con fuerza, agitar [2] **frotar(se)**: pasar muchas veces algo sobre otra cosa con más o menos fuerza [3] **rascar(se)**: frotar la piel contra las uñas [4] **rezar**: orar, pedir a Dios [5] **hoguera**: fuego que se hace al aire libre [6] **puñal**: arma similar a un cuchillo

cuerdas de la trampa[7] que había colocado antes de acostarse. Había atrapado un conejo. Le partió el cuello al instante y lo metió dentro de su bolsa.

—Los monjes rezan a todas horas —dijo, rascándose la barba—. Pero no tocan las campanas con tanta urgencia.

Ding-dong, ding-dong, ding-dong. Una y otra vez. Era un sonido lejano que se extendía por todo el bosque.

—No, no llama a rezar —murmuró[8] Sancho, recogiendo sus calabazas de agua[9]—. Está dando la alarma.

Localizado el sonido, Martín podía oírlo ya con toda claridad. Nervioso, imitó a su amigo y recogió sus cosas: la manta, las alforjas[10], los trozos de queso y pan.

La mula también oía las campanas. Sus orejas se movían casi siguiendo el lejano compás. Miró a Martín, que se acercaba.

—Tranquila, eh, tranquila —le dijo el muchacho con voz suave.

Era una mula gris y vieja, pero fuerte todavía. Y terca. Martín nunca había visto una mula tan terca[11]. Y parecía comprender que era fácil enfrentarse a él, pero no a Sancho. No dejaba que Martín le colocara los arreos[12] y al final siempre tenía que venir Sancho a hacerlo él mismo. La mula sí obedecía a Sancho.

Por suerte, esta vez la mula obedeció[13] y se dejó llevar. El muchacho se volvió hacia el oeste y echó a andar.

—¿Pero adónde vas? —susurró Sancho. Era un navarro grande y fuerte. Aún no había cumplido los treinta años, pero parecía mayor. Había algo triste en sus ojos. «Amargura»[14],

---

GLOSARIO

[7] **trampa**: artificio para cazar animales [8] **murmurar**: hablar en voz baja [9] **calabaza de agua**: calabaza seca y hueca que se utilizaba para llevar agua [10] **alforjas**: bolsas que se colocan a los lados de la mula o del caballo para llevar cosas [11] **terco**: testarudo, obstinado, que no cambia de opinión con facilidad [12] **arreo**: adorno que se pone a los caballos y otros animales [13] **obedecer**: cumplir las normas, seguir las instrucciones [14] **amargura**: pena, tristeza

pensaba Martín. O experiencias de las que pocas veces hablaba. Había cicatrices[15] en sus brazos y en su espalda.

—La campana suena por allí —insistió Sancho.

Martín se detuvo. La mula, no.

—Por eso voy hacia el otro lado —dijo, intentando sujetar a la mula, que solo era valiente cuando le interesaba.

—Tenemos que ver qué pasa —dijo Sancho.

—Tal vez haya un incendio en alguna parte del bosque y estén dando la alarma —contestó Martín, no muy convencido.

Sancho levantó la cabeza y olió el aire.

—No, no huele a humo[16]. El bosque está tranquilo. Y no hay viento.

—Pues entonces quizás el sacristán[17] esté borracho. O estarán celebrando alguna romería[18].

—Ha pasado la época de las romerías —Sancho negó con la cabeza—. Tenemos que ir a ver qué pasa.

—Siempre dices que no tenemos que meternos en problemas —dijo Martín.

—¿Desde cuándo haces caso a lo que yo digo, muchacho?

—Recuerda esas palabras la próxima vez que no te haga caso —respondió Martín.

Los dos peregrinos se volvieron hacia el este.

Empezaba a amanecer por fin. Los rayos del sol asomaron muy despacio entre las lomas[19].

Minutos más tarde, las campanas dejaron de sonar.

GLOSARIO

[15] **cicatriz**: marca que deja una herida [16] **humo**: gases que acompañan al fuego [17] **sacristán**: ayudante del sacerdote en una iglesia [18] **romería**: fiesta popular que se celebra junto a una ermita el día de la festividad religiosa del lugar [19] **loma**: colina, montaña baja

Capítulo II
El pueblo muerto

De pronto, pareció que en el bosque faltaba algo. Martín y Sancho se sintieron solos allí, como dos náufragos[1] en un mar silencioso.

Los dos amigos continuaron avanzando por el bosque, cada vez más claro, pero pronto se dieron cuenta de algo nuevo.

—Ahora sí huele a humo. ¿Lo notas? —preguntó Sancho.

—Lo noto —dijo Martín, deteniéndose un momento.

La mula, tan terca como siempre, o quizá más lista que ellos, se negó a seguir. Desesperado[2], Martín la ató[3] a un árbol mientras Sancho se subía a otro. Tampoco pudo ver nada, excepto un humo negro que el viento empujaba.

Saltó a tierra. Sin decir nada, echó a andar con decisión. Martín lo siguió, intentando pisar[4] donde él pisaba y no hacer ningún ruido. Un bosque es siempre peligroso. Un bosque donde suena una campana de alarma y después se huele el humo, es más peligroso todavía.

Sancho cogió su cuchillo.

—Tú espera aquí —le ordenó al joven Martín.

No esperó la respuesta del muchacho: sabía que no iba a decir nada. Estaba acostumbrado a que lo obedecieran, tal vez

---

GLOSARIO

[1] **náufrago**: superviviente de un accidente de barco [2] **desesperado**: sin esperanza ni ilusión [3] **atar**: unir dos cosas mediante una cuerda, hilo o similar [4] **pisar**: poner el pie sobre algo

porque había obedecido órdenes de otros durante mucho tiempo y sabía que no se discute cuando está en juego[5] la supervivencia. Pisando con cuidado, Sancho subió por una loma. Antes de llegar a la cima[6], se tumbó[7] en el suelo y reptó[8] los últimos metros. Entonces, levantó la cabeza y miró hacia el valle[9].

—¿Ves algo? —susurró Martín desde abajo, mientras ataba la mula a un árbol. Como Sancho no respondía, sacó también su cuchillo y desobedeció.

Tantas semanas en el camino habían enseñado a Martín a ser silencioso. Se echó al suelo y reptó hasta la cima de la loma. Sancho todavía estaba allí, inmóvil, observando. Cuando Martín lo alcanzó, ni siquiera se volvió a decirle que se estuviera quieto: sabía que el muchacho no iba a atreverse a seguir avanzando.

Con un gesto de la cabeza, señaló[10].

Al pie de la loma se veía un pueblecito. Unas cuantas casas, una plazuela central, un granero[11] común, una iglesia de piedra con una torre quizá demasiado grande para un poblado tan pequeño.

El humo venía de las casas.

El fuego las destrozaba lentamente, pasando de un techo de paja[12] a otro, como un niño que mordisquea los dulces repartidos por la mesa. También ardía[13] el granero y la iglesia.

Los dos peregrinos comprendieron que era la campana de la torre de la iglesia la que los había despertado en la oscuridad, hacía un buen rato. La misma campana que ahora veían envuelta en una nube de humo negro que subía hacia el cielo.

La luz del amanecer tenía el color rojo de las llamas. Pero nadie corría a apagarlas. Nadie gritaba en el pueblo. Nadie corría con cubos de agua para apagar el fuego, ni intentaba rescatar[14]

GLOSARIO

[5] **estar en juego**: estar en peligro, arriesgar [6] **cima**: parte más alta de una montaña [7] **tumbarse**: echarse [8] **reptar**: moverse por el suelo arrastrándose como una serpiente [9] **valle**: zona de tierra llana entre montañas [10] **señalar**: llamar la atención sobre algo indicando con un dedo u otra parte del cuerpo [11] **granero**: lugar donde se guarda el grano y los cereales [12] **paja**: trigo seco [13] **arder**: quemarse, consumirse por el fuego [14] **rescatar**: salvar

el trigo del granero común, ni salvar de las llamas los platos de madera, las mantas, la poca comida que había en las casas.

Desde la loma, Martín y Sancho, en silencio, contaron los cuerpos repartidos por las calles, en la plaza. En la torre, junto a la campana, había alguien caído, en equilibrio entre el cielo y la tierra. Era el monje[15] que había intentado dar la alarma tocando la campana. De su cuerpo sobresalía una flecha[16]. La flecha que había hecho callar a la campana y le había quitado la vida.

Un perro solitario aullaba[17] entre los cadáveres[18]. No comprendía lo sucedido e intentaba, en vano[19], despertar a su amo de aquel juego incomprensible. El olor del humo y la sangre lo asustaba aún más que el silencio. A esta hora, un día normal, la campana habría llamado al trabajo en los campos, las mujeres habrían ido al río a lavar la ropa, los hombres habrían comentado con risas la cara de sueño de alguno de ellos y en las casas un humo distinto indicaría que alguien preparaba la comida.

Ahora solo se escuchaban los aullidos desesperados del perro y el sonido de las llamas consumiendo las casas de madera y adobe. No había risas, ni bromas, ni cantos, ni el sonido del hierro trabajando en la madera, ni las canciones de las mujeres ni los juegos de los niños. Solo silencio. Silencio y muerte.

Martín no tenía la experiencia de Sancho. Todo lo que había visto del mundo lo había visto en esta peregrinación[20]: el camino lo estaba haciendo un hombre y en el camino aprendía cada día una cosa nueva, sorprendente y maravillosa, o dolorosa. Martín no tenía la experiencia de Sancho, pero no le hacía falta haber vivido la vida secreta de su amigo para comprender perfectamente lo que había sucedido en este pueblo, cuál era la alarma que al amanecer había querido dar la campana.

GLOSARIO

[15] **monje**: hombre de una orden religiosa que vive en un convento [16] **flecha**: arma que se lanza con un arco [17] **aullar**: emitir algunos animales un sonido largo y triste [18] **cadáver**: cuerpo de un muerto [19] **en vano**: sin éxito [20] **peregrinación**: viaje que se hace por razones espirituales, normalmente a pie

—Vamos —dijo Sancho, poniéndose en pie y bajando la loma sin esperar al muchacho.

Martín dudó un momento antes de ponerse en pie también y seguirlo.

—¿Crees que será seguro…? —preguntó, nervioso, con el cuchillo temblándole[21] en la mano.

Sancho escupió[22] a un lado. El cuchillo en su mano no temblaba.

—Los muertos no nos pueden hacer daño.

Con dos grandes pasos, Martín alcanzó a su amigo. Se sentía más seguro con él a su lado, aunque sabía que dos cuchillos podían hacer poco contra aquellos que habían arrasado[23] el poblado.

—Ya, eso ya lo sé —susurró—. Los muertos no. Pero, ¿y los vivos?

Sancho se detuvo en la frontera inexistente que marcaba el principio del pueblo, una o dos casas que todavía no habían ardido.

—Aquí no vive ya nadie, Martín.

—Quienes hicieron esto… ¿No estarán cerca?

Sancho no contestó, como si la pregunta fuera una tontería. Martín comprendió que si hubiera alguien cerca su amigo no habría decidido bajar al pueblo. Sancho se agachó[24], estudió el terreno, volvió a escupir a un lado.

—Hombres a caballo —señaló, indicando la tierra revuelta[25]—. Para haber hecho esta masacre, deben de haber sido más de treinta.

—¿Bandidos[26]?

GLOSARIO

[21] **temblar**: tiritar [22] **escupir**: expulsar con fuerza saliva por la boca [23] **arrasar**: destruir, devastar [24] **agacharse**: inclinar o bajar una parte del cuerpo [25] **revuelto**: turbulento, agitado, desordenado [26] **bandido**: persona que roba por los caminos

Sancho se encogió de hombros[27] indicando que no lo sabía.

—Una compañía de desesperados, en cualquier caso. Bandidos o quizás hombres de armas sin una guerra a la que servir. No hay mucha diferencia.

Sancho se puso en pie, estudió un momento de dónde venía el viento, cómo estaban situadas las casas, los prados donde se veía los animales que la compañía de caballeros había matado por no poder llevárselos consigo. Vieron una vaca muerta y varias cabras muertas a flechazos por diversión.

—Llegaron por aquí —dijo, mostrando al joven Martín las huellas[28] de los caballos—. Jinetes[29] armados. Y por aquí, ¿ves las pisadas?, hombres a pie.

La primera de las casas tenía la puerta abierta. Sancho se asomó al interior. Por encima de su hombro, Martín vio unos pies caídos, una mancha roja en el suelo, un cuerpo muerto en una cama.

—Atacaron antes del amanecer —confirmó Sancho—. Cuando todos dormían.

—Y no han respetado a nadie.

Sancho echó a andar. Despacio. Cuatro casas más adelante, encontraron un cuerpo tendido en el suelo, ante la puerta. Alguien había salido de la casa, alarmado por los gritos de los vecinos, y por eso no lo habían matado en la cama. A partir de ahí, cada vez veían más cuerpos que habían muerto enfrentándose a los soldados. Una lucha en vano.

—Opusieron resistencia[30], los que pudieron despertar a tiempo —dijo Sancho, señalando las herramientas de trabajo

---

GLOSARIO

[27] **encogerse de hombros**: subir y bajar los hombros (partes del cuerpo donde empiezan los brazos) para indicar indiferencia o desconocimiento [28] **huella**: señal que se deja al pasar por un lugar [29] **jinete**: persona que monta a caballo [30] **oponer resistencia**: defenderse, resistirse

que habían servido de arma a los campesinos muertos—. Pero no les sirvió de nada.

—¿Cuánto tiempo tardarían en hacer esta…, esta masacre? —preguntó Martín, sin creer lo que veía.

—Llegaron de noche, atacaron, mataron y saquearon[31]. ¿Cuánto tiempo, dices? —contestó Sancho, como recordando otras experiencias propias, pasadas y dolorosas—. ¿Contra un pueblo dormido y sin defensas, treinta caballeros y otros treinta a pie? Ni media hora. Cuando ese monje de arriba intentó tocar la campana, sin duda ya era demasiado tarde.

El pueblo, en efecto, había ofrecido resistencia. Entre las ropas de los hombres y las mujeres caídos había al menos dos hombres con cascos[32] de metal y petos[33] de cuero, miembros de la compañía de soldados que habían pagado con la vida el ataque.

Sancho se agachó junto a uno de ellos. Vio la marca de un rastrillo en la pierna, el corte de una hoz en el cuello. Había caído con la espada en la mano. Sancho cogió la espada, limpió la sangre en el peto de cuero y guardó su cuchillo.

—Una espada recta —dijo, y Martín lo entendió.

—Cristianos —murmuró el muchacho.

—Eso no importa.

Una sombra blanca y negra se lanzó entonces contra Sancho. Un aullido. Sancho sintió el mordisco[34] en la pierna y reaccionó sin pensar, como un guerrero. Giró sobre sus talones y golpeó sin mirar con la espada.

El perrillo sin amo aulló por última vez. Había confundido a su enemigo o quizás, demasiado tarde, quiso prestar la ayuda que no pudo dar cuando atacaron los soldados.

GLOSARIO

[31] **saquear**: entrar en un lugar y robar todo lo que se encuentra [32] **casco**: protección que se lleva en la cabeza [33] **peto**: armadura o protección que se lleva en el pecho [34] **mordisco**: acción de morder, es decir, clavar los dientes en algo

Sancho hizo un gesto de dolor, pero Martín no supo si era dolor por el mordisco en la pierna o si lamentaba haber matado al perrillo. Ya no importaba. Incluso Martín sabía que era absurdo lamentar la muerte de un animal cuando tanta muerte humana lo rodeaba.

Un sonido de latón[35], un mugido[36] por sorpresa. Justo cuando Martín comprendió que estaba escuchando una vaca, cayó al suelo de un golpe. Ni siquiera tuvo tiempo de llevarse la mano a la frente[37], donde lo habían golpeado, ni de comprender que lo había alcanzado una piedra.

GLOSARIO

[35] **latón**: metal de color amarillo pálido del que están hechas las campanas que llevan las vacas [36] **mugido**: sonido que hace la vaca [37] **frente**: parte de la cara que está entre los ojos y el pelo

Capítulo III
Edurne

Sancho gritó, pero su aviso llegó demasiado tarde. Una segunda piedra alcanzó a Martín en el hombro, pero el dolor en su frente era tan grande que casi no notó el nuevo golpe. Retiró la mano de la cara. Estaba manchada de sangre.

—¡Asesinos! ¡Asesinos! —gritó alguien.

Mareado[1] y ciego[2], Martín no comprendió de dónde venía ese grito. Era un grito lleno de miedo y de odio. El grito de un niño o quizá de una mujer.

Martín intentó levantarse, pero no pudo: estaba demasiado mareado por el impacto de la piedra en su frente. Otra piedra chocó contra el suelo, sin fuerzas. Martín levantó la cabeza para pedirle ayuda a Sancho, pero Sancho ya no estaba a su lado.

Sancho corría, esquivando[3] las pedradas que intentaban alcanzarlo. Martín lo vio saltar[4] y caer al suelo con su atacante. Intentó levantarse una vez más y, cuando creía que iba a conseguirlo, todo se volvió negro a su alrededor y se desmayó[5].

Cuando abrió los ojos no supo al principio dónde estaba. En realidad, solo pudo abrir uno, el ojo izquierdo. Tenía el otro ojo hinchado[6], cubierto por sangre seca. Y le dolía.

GLOSARIO

[1] **mareado**: aturdido, confuso [2] **ciego**: que no ve [3] **esquivar**: evitar, eludir [4] **saltar**: levantar el cuerpo del suelo mediante un impulso [5] **desmayarse**: quedarse inconsciente [6] **hinchado**: más grande de lo normal, inflado

—No te toques la herida —dijo Sancho—. Has tenido suerte, muchacho. Si la piedra te hubiera alcanzado un poquito más abajo, habrías perdido el ojo. Espera.

Sancho frotó el ojo cerrado de Martín con una cataplasma[7] de hierbas, fresca, agradable y de un olor dulzón. Una vez más, mientras sentía cómo el dolor se aliviaba un poco, Martín admiró la gran sabiduría de su compañero de viaje, capaz de preparar trampas para conejos, guiarse por las estrellas, luchar con la espada o disparar con arco y flecha. Mientras se ponía de pie, se preguntó si algún día él podría andar por la vida con tanta seguridad como Sancho. En ese momento no quiso pensar cuántas terribles experiencias había conocido su amigo antes de convertirse en el hombre que hoy era.

Sancho se retiró y, al levantarse, Martín vio a la muchacha. Estaba llorando, arrodillada[8], y tenía entre las manos un collar con una cruz pequeña de madera. Aparte de ellos dos y de la vaca, la muchacha era el único ser vivo que quedaba ahora mismo en el pueblo.

En el suelo, rota en dos, estaba la honda[9] que la muchacha había utilizado contra ellos; o contra Martín, en todo caso. En los minutos que el joven peregrino había estado inconsciente, Sancho se había lanzado contra ella, esquivando las piedras que ella seguía lanzando, y el resultado lo tenía Martín delante del único ojo con el que podía ver: la honda rota y la muchacha en el suelo, desarmada y llorosa.

Sancho se acercó. Se agachó ante la muchacha y le ofreció su calabaza con agua. Ella no quiso beber.

—Lamento haber sido demasiado brusco[10], muchacha —dijo Sancho—, pero eres muy buena con esa honda. No estaría bien que nos mataras a los dos por un error.

GLOSARIO

[7] **cataplasma**: remedio hecho con harina, agua templada y hierbas [8] **arrodillado**: apoyado en el suelo sobre las rodillas [9] **honda**: utensilio para lanzar piedras [10] **brusco**: agresivo

La muchacha levantó la cabeza y miró a Sancho como si lo viera por primera vez. El peregrino la miró a los ojos.

—Como puedes ver, no somos hombres de armas —la tranquilizó—. Escuchamos una campana al amanecer, cuando dormíamos en el bosque. Cuando llegamos aquí, ya era demasiado tarde. Pero esta matanza no es obra nuestra.

Los grandes ojos oscuros de la muchacha lo miraron sin comprender. Entonces, tras unos instantes, asintió[11].

—La vaca se escapó a media noche —dijo entre susurros y, al principio, ni Martín ni Sancho comprendieron por qué decía aquello—. Fue…, fue nuestro regalo de bodas. Fernán, mi esposo, dormía. Sin despertarlo, porque estaba muy cansado por su trabajo en el bosque, es leñador[12], o lo era… Salí a buscarla…

La vaca, indiferente a la muerte y la tristeza, mordisqueó la hierba[13]. La campana de latón que colgaba de su cuello sonó dos veces.

—La encontré entre los pinares —continuó la muchacha, señalando a lo lejos con un dedo tembloroso—, al otro lado del río. Venía con ella de regreso cuando escuché también la campana.

Sancho asintió. Le volvió a ofrecer la calabaza y, esta vez, la muchacha la aceptó, aunque casi no bebió nada.

—¿Están todos…, todos…? —fue incapaz de terminar la pregunta.

—No pudimos hacer nada —confirmó Martín, acercándose—. Cuando llegamos, ya era demasiado tarde. Solo encontramos las casas ardiendo.

La muchacha se volvió a mirar el poblado. Una vez más se echó a llorar, desconsolada[14]. Sancho y Martín esperaron en silencio.

GLOSARIO

[11] **asentir**: decir que sí con la cabeza [12] **leñador**: persona que corta y/o vende leña [13] **hierba**: planta pequeña que cubre el campo [14] **desconsolado**: extremadamente triste

—¿Han sido sarracenos[15]? —preguntó la muchacha después de un rato.

—Un grupo de bandidos, posiblemente —contestó Sancho—. No deben de estar muy lejos, pero no creo que vuelvan ya. Aquí no queda nada que les interese.

—Nos casamos en mayo —murmuró la muchacha, mirando una de las casas que todavía estaba ardiendo. Dentro, Martín había visto el cadáver de un hombre joven, sin duda el esposo de la muchacha—. No hace ni tres meses. ¿Qué va a ser de mí ahora?

—Nosotros somos peregrinos —dijo Martín—. Vamos a Compostela, a visitar la tumba[16] del santo apóstol[17]. Puedes acompañarnos hasta el pueblo más cercano, si quieres.

La muchacha miró el colgante[18] que tenía entre los dedos.

—Si no hubiera salido a recuperar a esa vaca…

—Estarías muerta, como están muertos todos —respondió Sancho, y sus palabras parecieron crueles—. Es doloroso, lo sé. Pero considera que has tenido suerte.

—¿Suerte? —la rabia[19] volvió a brillar en los ojos oscuros de la muchacha, la misma rabia que antes la había impulsado a atacar con su honda a aquellos dos hombres a quienes había confundido con los bandidos que habían destruido su vida—. Si la vida en este pueblo ya era dura… ¿qué me espera ahora?

—Eres joven —dijo Sancho—. El tiempo cura todas las heridas. Hasta las del alma[20]. Especialmente las del alma.

—¿Qué sabrás tú de dolor? —dijo la muchacha con rabia.

Sancho no le respondió. No hacía falta. La muchacha lo miró de nuevo a los ojos y leyó en ellos algo que Martín

---

GLOSARIO

[15] **sarraceno**: nombre que se daba en la Edad Media a los musulmanes [16] **tumba**: lugar donde está enterrado un muerto [17] **apóstol**: cada uno de los doce discípulos principales de Jesucristo [18] **colgante**: collar o adorno que se lleva colgando del cuello [19] **rabia**: ira, enfado [20] **alma**: espíritu

nunca había sido capaz de ver. Un dolor escondido, una herida que todavía se abría de vez en cuando, recuerdo de horrores sufridos y otros dolores causados.

—¿Cómo te llamas?

—Me dicen Edurne.

—Yo soy Sancho, Sancho Díaz, de Navarra. Y mi joven amigo es Martín Álvarez. Cuando no tenía ese ojo hinchado, ya tenía esa misma cara de tonto[21] que ahora ves —sonrió—. Es un buen muchacho y cocina bien, aunque es incapaz de dominar a nuestra mula. Vamos a Compostela, como ya se ha dicho. Puedes acompañarnos si quieres, Edurne. Hasta que encontremos un pueblo donde te sientas a gusto o hasta la misma tumba del apóstol, si quieres. Podemos ofrecerte protección y no te faltará comida. Lo demás está en manos más poderosas que las nuestras.

Edurne se puso en pie despacio. Aunque debía de tener la misma edad de Martín, ahora parecía mucho mayor, más cansada, más dolorida.

—¿No vamos a enterrar[22] a los muertos? —preguntó en voz baja.

Sancho y Martín cruzaron una mirada.

—Dinos cuál es tu casa y enterraremos a tu esposo —dijo Sancho—. A los demás los llevaremos a la iglesia antes de que arda.

GLOSARIO

[21] **tonto**: poco inteligente [22] **enterrar**: meter el cuerpo de una persona muerta bajo tierra

Capítulo IV
En el camino

Enterraron al joven esposo de Edurne al pie de un árbol. La muchacha hizo una cruz[1] de madera mientras los dos peregrinos llevaban a la iglesia a los demás habitantes del poblado: enterrarlos también a ellos les habría llevado demasiado tiempo.

Anochecía cuando terminaron la triste tarea. Las llamas de las casas ya se habían apagado y solo quedaba el fuego de la pequeña iglesia. No se quedaron en el pueblo esa noche: ninguno de los tres quería soñar con fantasmas. Con la muchacha y la vaca por nueva compañía, Martín y Sancho regresaron al bosque, recuperaron[2] su vieja mula y continuaron su viaje.

Los caminos eran peligrosos. Lo habían sido siempre, pero saber que un grupo de soldados sin bandera había destruido ya un poblado les hacía mantenerse aún más alerta. Martín sabía que, a pesar de lo que le había dicho Sancho a la muchacha, ellos dos solos no podrían protegerla si encontraban de nuevo a los bandidos. Eran tiempos duros. Nadie estaba a salvo de[3] la muerte.

Martín descubrió a los pocos días que si era difícil dominar a la vieja mula, también lo era manejar aquella vaca. Si la mula era terca, la vaca era estúpida. La mula se negaba a andar,

---

GLOSARIO

[1] **cruz**: figura formada por dos líneas que se atraviesan perpendicularmente [2] **recuperar**: volver a tener lo que se había perdido [3] **a salvo de**: fuera de peligro

mientras la vaca escapaba a su control. En la mula, al menos, podían montar cuando estaban cansados. De la vaca había que tirar[4] siempre.

Martín deseó más de una vez dejarla libre para poder continuar su camino sin su continua molestia. Pero la vaca era joven y podrían venderla por un buen dinero cuando encontraran un poblado. Martín supo que también Sancho estaba harto del[5] animal, porque el primer día no soportó[6] más el ruido de su cencerro[7], se lo quitó y lo lanzó a lo lejos.

Martín descubrió que no era bueno tratando con mulas ni con vacas. Tampoco se le daba muy bien[8] hablar con Edurne. No tenía ninguna experiencia con el sexo opuesto: su hermana había muerto al nacer y él había abandonado su aldea después de que las muchachas de su edad se fueran para casarse con los mozos de otros pueblos o entraran a servir a Dios. Edurne era para él un misterio. Una criatura de aspecto frágil que, sin embargo, era dura como el hierro y no se quejaba cuando Sancho forzaba la marcha y alargaba las horas del día antes de acampar[9] para pasar la noche.

Edurne nunca había vuelto a llorar por lo perdido: no iba a recuperar jamás aquellos meses de felicidad, no tenía sentido llorar por lo que no vuelve. Llevaba la tristeza por dentro, como se lleva el corazón o dicen que se lleva el alma, pero no hubo más lágrimas en sus ojos. Aceptar lo que venía era también el signo de los tiempos.

—Así que sois peregrinos —dijo por fin, cuando se quedó a solas con Martín, porque Sancho se había adelantado a explorar.

—Somos peregrinos, sí. Vamos a Compostela.

—¿Está muy lejos Compostela?

GLOSARIO

[4] **tirar de**: arrastrar de [5] **estar harto de**: estar aburrido o cansado de [6] **soportar**: aguantar, resistir [7] **cencerro**: campana que llevan las vacas y otros animales al cuello [8] **dársele bien algo a alguien**: ser bueno en, tener habilidad para [9] **acampar**: alojarse durante un tiempo en tiendas de campaña

—Dicen que cerca del fin del mundo, donde se acaban las tierras y empiezan los mares que no tienen fin.

—Nunca he visto el mar.

—Yo tampoco.

—¿Qué hay en Compostela?

—La tumba de un santo apóstol. Uno de los discípulos de nuestro Señor. El que dicen que tanto se le parecía. Yago el Zebedeo, al que Jesús llamaba «Hijo del Trueno[10]» y ahora todos conocen por Santiago el Mayor.

—¿Y por qué está enterrado allí, cerca del fin del mundo? —preguntó la muchacha con auténtico interés—. Creía que Jesucristo había vivido y muerto hacia el otro lado, el este, en las tierras santas, que también están muy lejos.

—Dicen que el apóstol vino a predicar[11] a Hispania; y que, cuando murió en Jerusalén en el año 44 por orden de Herodes Agripa, sus discípulos lo trajeron en una barca[12] de piedra.

La muchacha hizo un gesto divertido.

—¿No se hunden[13] las piedras en el agua? —preguntó.

Martín se encogió de hombros.

—Cuentan que la barca flotaba[14] sobre las aguas, así que imagino que sería un milagro. Como el arcoíris[15], o la multiplicación de los panes y los peces.

—¿También hacen milagros los apóstoles?

—Sí, porque son santos. Dicen que sus discípulos hicieron zarpar[16] esa barca de piedra, y la barca volvió a España. Pasaron los siglos y no se supo nada más, hasta que un ermitaño[17] llamado Pelagio vio luces en un monte, en el año 813, y cuando Teodomiro, el obispo de Iria Flavia, lo

---

GLOSARIO

[10] **trueno**: ruido muy fuerte que se produce durante las tormentas [11] **predicar**: pronunciar un sermón religioso [12] **barca**: embarcación pequeña [13] **hundirse**: sumergirse en el agua [14] **flotar**: permanecer sobre la superficie del agua [15] **arcoíris**: efecto óptico con forma de banda de colores que se produce los días de sol y lluvia [16] **zarpar**: empezar un barco a navegar [17] **ermitaño**: persona que vive en soledad como un monje

autorizó, excavaron[18] la zona y encontraron un cuerpo con la cabeza bajo el brazo.

—¿Y era Santiago? —preguntó la muchacha, con sorpresa.

—¿Quién podría ser si no? Santiago murió decapitado[19]. Ese fue su martirio. Desde entonces, la aldea de Compostela se ha convertido en lugar de peregrinación de los cristianos. Vamos siguiendo el camino de las estrellas para rezar ante su tumba.

—¿Lo hacéis en penitencia[20] por vuestros pecados[21]?

Martín se rascó la cabeza. Lanzó una piedra a lo lejos.

—Sancho dice que tiene mucho que hacerse perdonar. No habla de cuáles son esos pecados. En realidad, no habla mucho de sí mismo. Nos encontramos en el camino, hace ya casi dos meses, y desde entonces seguimos viajando juntos. Él me ayuda y yo lo ayudo. O por lo menos le hago compañía.

Edurne asintió.

—¿Y tú tienes también pecados que hacerte perdonar, Martín?

—¿No los tenemos todos?

—Algunos más que otros.

—Tienes razón —contestó Martín—. No, no voy a Compostela en busca de perdón. O tal vez sí. Mi historia es simple. Mis padres cayeron enfermos de fiebres hace un año. Vivíamos en la montaña. Mi padre era pastor[22]. El invierno fue muy frío, o quizás los dos se hicieron viejos mientras yo me hacía hombre. Cayeron enfermos y vi que se morían.

—¿Y el santo los salvó?

Martín negó con la cabeza. La tristeza asomó a sus ojos.

—No, murieron los dos de aquellas fiebres. Yo había prometido viajar a Compostela si se curaban. Lo juré ante Dios.

GLOSARIO

[18] **excavar**: cavar, extraer [19] **decapitar**: cortar la cabeza de una persona [20] **penitencia**: forma de pagar por los pecados cometidos [21] **pecado**: acto que va en contra de ciertas normas religiosas [22] **pastor**: persona que cuida a las ovejas y las cabras

—Pero si no se curaron..., ¿por qué viajas a Compostela entonces?

Martín sonrió, tímido.

—Cuando se me acabaron las lágrimas, me di cuenta de mi arrogancia. ¿Quién soy yo para imponerle[23] un trato[24] a Dios? Mi padre era un hombre bueno que jamás hizo mal a nadie. Mi madre era la mejor de todas las madres. Si Dios los quiso con él, sería por algo. Ahora deben de estar sentados a su mesa en el Paraíso. Y yo, egoísta y soberbio, quise cambiar un viaje a Compostela por sus vidas. Sí, es cierto. Quizás hago este camino en busca de perdón. Si el mundo va a acabarse dentro de tres años, como algunos dicen, mejor estar en gracia de Dios.

—¿Y si el mundo no se acaba en el año 1000? ¿Qué haréis tu amigo y tú después de visitar la tumba del santo?

Martín se encogió de hombros una vez más.

—Imagino que cada uno seguirá su camino —dijo—. Como la humanidad.

—Para seguir pecando.

—O para seguir rezando.

La muchacha guardó silencio entonces, reflexionando. Aunque de su cuello colgaba aquella pequeña cruz de madera, Martín comprendió que no conocía la doctrina, no tan bien como él. Tampoco parecía experto en catecismos el propio Sancho, que volvió al rato con un par de conejos.

La muchacha se ofreció a preparar los animales para la cena mientras Martín se ocupaba del fuego. Al verla trabajar en silencio, con eficacia, aceptando su nuevo destino, Martín sintió una gran simpatía hacia ella.

Cuando llegaron a Compostela, el joven peregrino era ya un hombre enamorado.

GLOSARIO

[23] **imponerle algo a alguien**: obligar a alguien a algo [24] **trato**: pacto, negociación

Capítulo V
Vientos de guerra

Vendieron la vaca por unas cuantas monedas y unos sacos de trigo[1] en el primer pueblo que encontraron. Los bandidos no habían llegado hasta allí, ni ellos los habían vuelto a encontrar en el camino. Pero Edurne decidió no quedarse en el pueblo y continuar con Sancho y Martín hasta Compostela. Después…, después Dios diría.

El verano era caluroso y el camino a veces era cómodo y a veces demasiado lento. Dormían en el bosque o en alguna aldea que encontraban o en el pajar[2] olvidado de un leñador que tal vez no había sobrevivido al invierno. A veces encontraban una posada[3] y allí pasaban la noche y compartían con otros viajeros las noticias.

Y las noticias no siempre eran buenas.

En una de aquellas posadas encontraron a un hombre delgado y feo, de piel morena y ojillos vivos. Tenía, sin embargo, una voz fuerte y cantaba con gracia, manteniendo la atención de todos los que lo escuchaban.

Era un juglar[4].

Ni Edurne ni Martín habían visto nunca a ninguno.

GLOSARIO

[1] **trigo**: cereal del que se suele hacer el pan blanco [2] **pajar**: lugar donde se guarda la paja [3] **posada**: albergue, pensión sencilla [4] **juglar**: hombre que cantaba y bailaba para el pueblo a cambio de dinero, trovador

—Una especie peligrosa —les advirtió[5] Sancho, mientras se sentaban al fondo de la posada y escuchaban las canciones del hombrecito—. Cuidado con él.

—Parece inofensivo[6] —dijo la muchacha.

—Precisamente por eso es peligroso. Si un hombre como él es capaz de sobrevivir con sus chistes en un mundo como este, te aseguro que no es debido a la suerte. Ese hombrecito miente[7] cada vez que habla, te robará todo lo que lleves mientras te ríes con sus gracias, y no dudará en clavarte[8] un cuchillo por la espalda si desea un anillo o un collar que lleves en el cuello.

—Entonces no estamos en peligro —murmuró Martín, molesto por la desconfianza de su amigo—. Porque no llevamos nada de valor.

—Si solo llevas encima pan y él no lo lleva, te aseguro que no dudará en apuñalarte[9] por un pedazo.

—Parece que sabes mucho de juglares —dijo la muchacha.

—No, sé mucho de la vida. Pero mientras no lo dejemos acercarse demasiado, bien podremos escuchar sus canciones y sus noticias.

Las canciones del juglar, que se llamaba Pero el Magnífico, eran en efecto divertidas. Hizo juegos de manos con tres manzanas que de pronto quedaron convertidas en dos nada más, sin que nadie pudiera encontrar la tercera. Bebió toda la sidra[10] que le ofrecieron, acarició[11] a una de las posaderas e hizo saltos acrobáticos. Cantó historias de héroes antiguos de los tiempos de Roma: los amores de Eneas y la reina Dido de Cartago; la historia de Rómulo y Remo y la loba que los amamantó[12]; el odio de Bruto, que hizo asesinar a su padre

---

GLOSARIO

[5] **advertir**: avisar, prevenir [6] **inofensivo**: que no es peligroso [7] **mentir**: no decir la verdad [8] **clavar**: introducir algo punzante o afilado en una superficie [9] **apuñalar**: clavar un puñal [10] **sidra**: bebida alcohólica hecha a base de jugo de manzana [11] **acariciar**: tocar suavemente y con cariño [12] **amamantar**: alimentar con leche materna

Julio César; y la serpiente[13] que la reina de Egipto se llevó al pecho[14] para no seguir viviendo tras la muerte de su amante Marco Antonio.

Contó también historias de los reyes visigodos, de la llegada de Tarik a las costas del lejano sur hacía tres siglos ya, de la derrota[15] del rey Rodrigo en la batalla de un río llamado Guadalete y cómo los musulmanes se habían hecho dueños de toda la Hispania antigua en menos de tres años, y solo don Pelayo, el hijo del duque Favila, había podido detenerlos en estas mismas tierras de Asturias.

El juglar no era solo un payaso[16]: también sus canciones enseñaban lecciones de historia. Aquel pasado que cantaba definía el presente y, cuando sus narraciones llegaban al presente, dejaba de ser historiador para convertirse en cronista y en enlace de comunicaciones entre un lugar y otro. Lo que aprendía en un sitio lo contaba en el pueblo siguiente. El juglar contaba noticias además de recordar la historia.

Y de pronto tuvo noticias para contar en los pueblos siguientes.

La puerta de la posada se abrió, de repente, y un peregrino flaco[17] y sucio se detuvo allí, mojado por la lluvia y enfermo de fiebre.

No traía buenas noticias.

—¡El ejército de Almanzor ha vuelto a ponerse en marcha! Las tropas del Victorioso avanzan hacia Galicia. Pronto llegarán a Compostela. ¡Dios nos proteja a todos, ni siquiera llegaremos con vida al año mil para ver la gloriosa venida de nuestro salvador Jesucristo!

GLOSARIO

[13] **serpiente**: culebra, reptil largo y sin patas que puede ser venenoso [14] **pecho**: parte delantera del cuerpo que está entre los hombros y el vientre [15] **derrota**: fracaso [16] **payaso**: artista (originariamente de circo) que hace reír a otras personas [17] **flaco**: muy delgado

Capítulo VI
El Victorioso

Era el hombre más odiado de su tiempo.

Era el hombre más amado de su tiempo.

Enemigo para unos, el mismo diablo.

Caudillo[1] para otros, el único capaz de llevar la palabra de Alá a todos los rincones de la península y asegurar el poder de Al Ándalus.

Abu Amir Muhammad ben Abi Amir al-Maafirí era su nombre. Más conocido como Al-Mansūr billah: el Victorioso por la gracia de Alá.

Los cristianos lo llamaban Almanzor.

Decir su nombre más allá de las tierras que dominaba era despertar el miedo, y el odio.

La muchacha, Edurne, nunca había oído hablar de él, como no había oído hablar de tantas cosas. Pero Sancho y Martín conocían su nombre y su largo historial de guerras y victorias. Lo que Martín no sabía era que el propio Sancho había luchado en más de una ocasión con y contra las tropas de Almanzor, el hombre que era la mano derecha del califa[2] Hisham II, el tercero de los califas de los Omeyas de Córdoba.

GLOSARIO

[1] **caudillo**: hombre que dirige un ejército [2] **califa**: príncipe sarraceno que tenía el poder religioso y civil en algunos territorios musulmanes

Su historia era la historia de un destino[3], la historia de una ambición[4]. Al servicio del antiguo califa Halakem II, primero desde oscuros cargos administrativos, luego como director de la ceca[5] y, por fin, tras la muerte del viejo califa, como auténtico hombre fuerte del Califato, Almanzor se había convertido a la vez en el protector del joven Hisham y en el hombre que lo controlaba, como controlaba todo lo que sucedía en Córdoba y en Al Ándalus.

Almanzor había eliminado a sus enemigos administrando su justicia como jefe de la policía del Califato y luego como *hayib* o primer ministro. Sus enemigos no eran solo los cristianos, muchos de los cuales le debían vasallaje[6]. Sus enemigos eran todos aquellos que podían interponerse[7] en su camino hacia el poder. Para gobernar era necesario tener mano dura[8], y Almanzor jamás dudaba en aplicarla. Eso le había ganado el respeto de su pueblo y también el temor[9] y la admiración de todos los que conocían su nombre y su historia.

Su control sobre el mundo que dominaba era tan absoluto que había ordenado quemar cientos de libros de la biblioteca del califa. Pero Almanzor no era un bárbaro, sino un hombre culto, cruel porque los tiempos eran crueles. Él mismo había copiado el Corán, el libro santo, y su amor hacia su ciudad y sus templos lo había llevado a ampliar la mezquita de Córdoba, que con el tiempo sería una de las maravillas de su época.

Almanzor había luchado en más de cincuenta campañas de guerra contra los reinos cristianos del norte. Y había ganado casi todas.

Zamora, Barcelona, Coimbra, Sahagún, Eslonza, Braga y ahora Compostela habían sufrido sus ataques. Eran campañas

---

GLOSARIO

[3] **destino**: camino definido de antemano [4] **ambición**: deseo de conseguir poder, fama o riquezas [5] **ceca**: fábrica de moneda [6] **vasallaje**: unión de dependencia y fidelidad que una persona tenía con otra [7] **interponerse**: ser un obstáculo para [8] **mano dura**: firmeza [9] **temor**: miedo

Capítulo VII
Compostela

El viaje siempre había estado lleno de aventuras y peligros. Pero no como ahora. En las largas semanas de peregrinación, Martín y Sancho habían visto de todo. Los habían atacado los lobos, se habían enfrentado a unos bandidos que no pudieron robarles nada porque no llevaban nada de valor, habían pasado hambre y frío, sed y calor. Les habían cerrado las puertas y les habían abierto los graneros. Les habían dado pan, pero no les habían dado agua. Habían sufrido enfermedades y accidentes, se habían reído y habían llorado, habían rezado y también habían maldecido[1]. Cuando se conocieron, en el mismo camino, Martín estaba atrapado en el fondo de una zanja[2], con una pierna herida. Podría haber muerto allí, pero apareció Sancho para sacarlo. La pierna, por suerte, no estaba rota, aunque Martín cojeó[3] durante muchos días. Así había empezado la amistad de los dos peregrinos, un hombre veterano y un muchacho que tenían la misma misión: llegar a Santiago de Compostela, visitar la tumba del apóstol, pedir perdón por sus pecados.

El viaje había sido difícil, pero también gratificante[4]. Nunca los había movido la prisa, sino la necesidad de llegar a

---

GLOSARIO

[1] **maldecir**: blasfemar, jurar, ofender [2] **zanja**: hueco largo y ancho que se excava en la tierra para conducir agua o similar [3] **cojear**: andar inclinando el cuerpo más a un lado que a otro [4] **gratificante**: que produce satisfacción

su destino y purificarse mientras lo hacían. Habían aprendido a ser hijos del bosque y del camino, hermanos de los animales y de los árboles. Por la noche, cuando dormían en algún pajar o cuando no encontraban sitio donde dormir y tenían que hacerlo fuera, la mancha blanca de las estrellas los iluminaba, indicando siempre el norte, como una flecha que los llevaba a Compostela.

No los había movido la prisa. Tampoco cuando encontraron a Edurne y tuvieron que ponerse a salvo de aquella banda de soldados que había arrasado su aldea.

Pero ahora era distinto. Ahora Sancho se había convertido en otro hombre, un ser implacable[5] que no se detenía a descansar cuando los pies de los demás le pedían un descanso, ni perdía el tiempo durmiendo por la mañana, ni intentando capturar alguna trucha[6] en un río. Ahora Sancho ya no era un peregrino que buscaba el perdón de Dios, sino el soldado que había sido hasta hacía unos meses. Era un hombre que conocía la guerra y los bosques y sabía cuándo había peligro.

El pequeño grupo de peregrinos se convirtió de pronto en un equipo donde Sancho era el sargento[7] y Edurne y Martín sus soldados, los que obedecían sus órdenes[8]. Sancho no parecía cansarse nunca. Lo dominaba la prisa por llegar a Santiago. Y, posiblemente, por marcharse de allí antes de que los ejércitos de Almanzor lo arrasaran a sangre y fuego.

—No, no encenderemos una hoguera esta noche —decía—. Hoy comeremos tasajo[9].

Y Edurne y Martín soltaban la leña[10].

—No, no nos detendremos todavía. Hay que llegar al menos hasta aquellos pinares[11] —señalaba Sancho.

GLOSARIO

[5] **implacable**: duro, inflexible [6] **trucha**: tipo de pescado de agua dulce [7] **sargento**: cargo militar [8] **orden**: mandato, instrucción [9] **tasajo**: pedazo de carne seco y salado [10] **leña**: trozos de madera para quemar en la hoguera [11] **pinar**: lugar donde hay pinos

Y Martín se ponía en pie, como si el nuevo esfuerzo no le importara nada, y Edurne se apartaba[12] el pelo de la cara y seguía a los dos hombres.

El camino se convirtió entonces en un verdadero tormento[13]. No paraban a descansar cada pocas horas, evitaban las aldeas. Durante un par de días, pareció que solo existían ellos tres en todo el mundo. Es verdad que ya antes de la noticia de la próxima guerra podían pasar también días enteros sin ver a un leñador, un pastor o una lavandera en un río, pero desde que aquel peregrino había traído el mensaje de que se acercaban los ejércitos del *hayib*, parecía que los leñadores, los pastores, las lavanderas e incluso los bandidos habían desaparecido del planeta.

La soledad de los caminos se hizo más grande, más dolorosa. Y aunque Sancho no expresaba sus temores en voz alta, por su cabeza pasaban los mismos malos pensamientos que por la cabeza de Martín y la de Edurne. Ninguno de los tres peregrinos podía dejar de pensar que estaban caminando, día tras día, paso a paso, hacia una muerte segura.

El cálido verano, según se acercaban al norte, se fue haciendo más frío. Llovía. El viento ya no era agradable.

Un atardecer, por fin, llegaron a Santiago de Compostela. Y fue como llegar a una ciudad muerta.

Casi no había gente en las calles. Y los que quedaban se movían de un lado a otro con prisa, en silencio, asustados. A veces se paraban a escuchar a lo lejos, como si de pronto oyeran el ruido del ejército de Almanzor que llegaba ya a las puertas.

—Hay tan poca gente… —dijo Edurne—. ¿Dónde está todo el mundo? Pensé que Compostela era una ciudad importante.

Sancho terminó de evaluar la situación.

—Se han marchado. Y los que quedan, lo harán dentro de muy poco.

GLOSARIO
[12] **apartar**: echar a un lado [13] **tormento**: sufrimiento, tortura

—¿Eso significa…? —empezó a preguntar Martín.

—Eso significa que dan la batalla por perdida. No se enfrentarán a las tropas de Almanzor. No se lo reprocho[14].

—Pero…, pero dejar la ciudad sin defensas. La tumba del apóstol…

Sancho no contestó. Echó a andar calle abajo y los dos jóvenes lo siguieron.

Se cruzaron con un grupo de soldados en el camino. Una mujer intentaba controlar a un niño pequeño que quería seguirlos. Entre el olor de las espadas, el sudor[15] y los petos de cuero de los soldados, a Martín le pareció también que podía oler el miedo.

La iglesia donde se encontraba la tumba del apóstol Santiago estaba en silencio, pero no vacía. Casi doscientas personas rezaban arrodilladas, en silencio, pidiendo al santo un milagro imposible: la retirada[16] del enemigo.

Un monje cansado y viejo, de espaldas al altar, delante del sepulcro[17], murmuraba en latín. Era Mezonzo, el obispo[18]. Martín, Sancho y Edurne se arrodillaron.

Durante un rato, los tres peregrinos se dejaron bañar por el silencio y la oración. Pero, por encima de este momento de rezo, se notaba el miedo. La gente reunida en la iglesia temía por sus vidas y por las reliquias del santo.

Un rato después, Mezonzo terminó su oración, se volvió hacia sus fieles y les dirigió unas palabras.

—Dios nos pone a prueba, hermanos. Pero nuestra fe[19] saldrá fortalecida de este encuentro. Los ejércitos de Almanzor están a un día de nosotros. Solo traen muerte. Nosotros solo podemos poner la otra mejilla[20]. Pero Dios no os querrá muertos:

GLOSARIO

[14] **reprochar**: criticar [15] **sudor**: líquido que produce el cuerpo humano cuando aumenta la temperatura del cuerpo y que se expulsa por la piel [16] **retirada**: abandono de un lugar, ida [17] **sepulcro**: tumba [18] **obispo**: prelado superior de una diócesis [19] **fe**: creencia religiosa [20] **mejilla**: cada uno de los lados de la cara que está bajo los ojos

Dios os quiere vivos, os quiere llenos de fe. Os necesitará para reconstruir lo que los bárbaros del sur arrasen. Os necesitará para que demostréis por qué la cristiandad es más fuerte.

No os puedo pedir que perdáis la vida. No, no puedo. Marchaos ahora que aún podéis. El santo apóstol sabrá cuidar de[21] vuestras casas. El infiel[22] no se atreverá a tocar sus reliquias: caerá, como cayó San Pablo cuando aún era Saulo y perseguía a los primeros cristianos. Marchad, marchad ahora. Todavía hay tiempo.

—¿Pero adónde iremos, padre Mezonzo? —preguntó una voz entre la gente.

—Id a las montañas. O a la Isla de San Simón. Lo que Almanzor busca está aquí, no irá más lejos. Id con Dios, porque Él os protege.

La multitud dudó antes de obedecer la orden del monje. Pero luego, poco a poco, salieron todos de la iglesia. Un rato más tarde, formaban un extraño grupo de luces que subía por el monte, hasta perderse en la noche.

Sancho, Martín y Edurne se quedaron de pie a la puerta de la iglesia. Por primera vez desde que se conocían, Martín vio que Sancho no sabía qué hacer.

—¿Los seguimos, como ha dicho ese hombre santo? —preguntó Edurne, nerviosa al ver que todos se marchaban menos ellos.

—Seguidlos vosotros —dijo Sancho de pronto—. Vamos, corred. Seguidlos a las montañas o a esa isla que ha dicho. Donde estéis más seguros. No queda mucho tiempo.

Martín dudó.

—¿Seguirlos...? Pero..., ¿y tú? ¿No vendrás con nosotros?

—Comprendo que un hombre viejo no luche. Comprendo que un santo piense que Dios hará un milagro. Pero he visto

---

GLOSARIO
[21] **cuidar de**: ocuparse de, atender [22] **infiel**: persona que no pertenece a una religión

muchas guerras y saqueos, muchacho. He visto mucha sangre y mucha muerte. No se detendrán. La destrucción de Compostela no será suficiente. Irán detrás de los fugitivos. Y alguien tendrá que detenerlos.

—¿Qué vas a hacer?

—Buscar un grupo de soldados y luchar. No puedo hacer otra cosa.

Martín y Edurne se miraron.

—Tienes razón —dijo el muchacho—. Pero yo voy contigo.

—No. Ve con Edurne y…

—Edurne sabe cuidar de sí misma, ¿verdad? —Martín se volvió hacia la muchacha. Ella asintió, sin saber muy bien por qué lo hacía—. Yo voy contigo, Sancho. Tú mismo lo has dicho: alguien tendrá que detenerlos.

Capítulo VIII
Guerra

Los dos peregrinos dejaron a Edurne con una familia que huía a las montañas: una mujer desesperada con cuatro niños pequeños que no comprendían qué pasaba y lloraban llamando a su padre. Como Sancho y Martín, el padre se había unido el día anterior a los hombres que intentaban enfrentarse al enemigo.

Edurne ya estaba acostumbrada a quedarse a un lado: lo hacía cuando los hombres de su aldea iban de caza[1], o cuando se enfrentaban por tierras con los hombres de alguna aldea vecina, o cuando iban de romería. Ahora, el enfrentamiento no iba a ser por unos metros de tierra o una chica bonita, ni siquiera por cazar un jabalí, sino por algo mucho más importante: la vida de sus familias, el futuro de Compostela. Edurne cogió en brazos a una niña pequeña, de la mano a un niño que lloraba, y se despidió de sus amigos. Era posible que no volviera a ver a ninguno de los dos, pero ni Edurne ni Sancho ni Martín expresaron ese miedo en voz alta.

Los dos amigos se unieron a un grupo de soldados y recibieron las armas para enfrentarse a un enemigo muy superior: una espada, un escudo[2], un casco, un peto de cuero y una bendición[3] rápida.

GLOSARIO

[1] **caza**: actividad que consiste en matar animales [2] **escudo**: arma que sirve para defenderse [3] **bendición**: hacer la señal de la cruz sobre alguien

Intentaron dormir, pero Martín no pudo hacerlo. Estaba demasiado asustado, demasiado nervioso. Sancho, sin embargo, durmió como cualquier otra noche, tranquilo. Estaba acostumbrado a estas cosas y sabía que una buena alimentación y una buena noche de sueño eran necesarias para intentar sobrevivir a la batalla.

Al amanecer, en medio de un silencio total, el grupo de hombres salió también de Compostela. La ciudad quedó vacía.

En la ciudad abandonada, junto al sepulcro del apóstol, solo quedó rezando el viejo monje, el obispo Mezonzo.

Avanzaron por el bosque en silencio, con rapidez. A media mañana se encontraron con el resto del ejército, hombres a caballo y a pie que habían venido de todas partes. Algunos huían de batallas perdidas más al sur, otros llegaban del este con intención de ganar la próxima. Había banderas, gritos nerviosos y caballos asustados. Se olían el cuero y el metal, los guisos[4] de cebollas y carne, la tierra mojada por la lluvia continua.

Los caballeros corrían de un lado a otro de la fila de soldados, gritando órdenes o negando órdenes anteriores. Martín nunca había visto la guerra de cerca. Había oído hablar de ella, la había imaginado como algo hermoso, el lugar donde un hombre podía demostrar su valor. Pero ahora no podía imaginarse a sí mismo realizando actos heroicos que después cantaran los juglares e impresionaran a las mujeres. Ahora solo tenía miedo porque sentía en los cuerpos sudorosos de los soldados el peso de la muerte cercana.

El enemigo era todavía un ser invisible y lejano, una criatura de los bosques. Cuando se detuvieron a descansar, un soldado feo y malherido[5] explicó que eran tantos que no había números para poder contarlos y que eran tan crueles que los mismos demonios del infierno huían de ellos y de sus espadas

---

GLOSARIO
[4] **guiso**: comida cocinada en una olla [5] **malherido**: herido de gravedad

curvas[6]. Un sargento a caballo lo hizo callar de un golpe con la mano e impuso la calma. Lo último que necesitaba este ejército era que alguien lo llenara de miedo antes de la batalla.

Martín no sabía lo que Sancho sabía desde hacía tiempo. El soldado que nunca ha estado en la guerra la imagina y tiene miedo. El que ha vivido ya otras batallas las recuerda. Y su miedo es más grande porque sabe lo que le espera.

Al amanecer del día siguiente continuaron su camino. Eran cada vez más hombres, más caballos, más jinetes. Antes de llegar a una colina, lo oyeron. Era un trueno sobre la tierra. Un ruido como el de un millón de animales hambrientos. Un tambor continuo, como una ola que no terminaba nunca. El sonido se hizo cada vez más fuerte. Estaba cada vez más cerca.

Y entonces, desde la cima de la colina, los vieron.

El valle al otro lado era una masa de cuero y hierro que se extendía hasta donde podían ver y más allá. Había banderas y miles de hombres a caballo. Sonaron de pronto tambores y trompetas, los hombres a caballo echaron a andar al trote[7] y los miles de soldados de infantería se pusieron en marcha.

Parecían un ejército de hormigas salidas de un hormiguero. Pero eran hormigas de colores: blancas, marrones, rojas, amarillas. Y avanzaban con decisión, al ritmo de los tambores.

En las filas de los soldados cristianos se hizo el silencio.

Entonces, uno de los hombres a caballo, un conde, dio la señal de ataque.

La batalla comenzó.

GLOSARIO

[6] **curvo**: que tiene forma inclinada, que no es recto [7] **al trote**: a paso ligero sobre el caballo

Capítulo IX
Compostela en llamas

El ejército vencedor[1] entró en Compostela como la lava[2] de un volcán, arrasándolo todo a su paso. Cansados tras la batalla, cubiertos de sangre, entre gritos y risas de alegría, los soldados del lejano sur salieron a las calles. No había nadie para recibirlos. No había nadie para enfrentarse a ellos. No había nadie para huir de su presencia.

Había llegado el momento de la victoria. Había llegado el momento del saqueo. Miles de hombres tomaron las calles. Como no había nadie a quien matar ya, dejaron los alfanjes[3], las flechas y los escudos. Y corrieron como salvajes hacia las casas indefensas[4].

Los arietes[5] rompieron las puertas como si fueran de papel. Ellos, los hombres del sur, habían construido minaretes[6] y mezquitas en su tierra. Habían disfrutado de las puestas de sol ante el gran río que cruzaba Córdoba. Tenían bibliotecas con millones de libros y regaban[7] sus campos con sistemas que los cristianos no conocerían hasta muchos siglos después. Pero entonces se lanzaron a la destrucción como si fueran bárbaros incapaces de disfrutar de la belleza.

GLOSARIO

[1] **vencedor**: victorioso, que ha ganado un combate [2] **lava**: materia derretida que sale de un volcán en erupción [3] **alfanje**: sable corto y curvo [4] **indefenso**: que no tiene defensa [5] **ariete**: máquina militar que se usaba antiguamente para abrir murallas [6] **minarete**: torre de una mezquita [7] **regar**: echar agua sobre algo

Roma, la otra gran capital de la cristiandad, había caído también ante otros bárbaros venidos del norte y del este. El Papa León I Magno había salido a las puertas de Roma y había conseguido detener el odio de Atila. La Ciudad Eterna no cayó aquel día gracias a las palabras de aquel hombre santo. Cayó luego, muchas veces, pero aquella mañana del año 452 las palabras fueron más fuertes que las espadas.

En Compostela, aquel 10 de agosto del año 997, por desgracia, no había ningún Papa que saliera al encuentro de los invasores. Pero sí había un hombre santo. La ciudad ardía, los invasores robaban su botín[8], se peleaban[9] entre ellos por una copa de plata o un jubón[10] de cuero, y un hombre anciano[11] y débil rezaba ante la tumba del apóstol. Era Mezonzo, el obispo. El saqueo duró ocho días, pero en todo ese tiempo ninguno de los invasores se atrevió a tocarlo.

GLOSARIO

[8] **botín**: tesoro [9] **pelearse**: combatir, enfrentarse [10] **jubón**: prenda ajustada al cuerpo que cubría desde los hombros hasta la cintura [11] **anciano**: muy mayor

Capítulo X
Después de la victoria

El saqueo duró ocho días. Ocho días de victoria. Ocho días de destrucción. Después, las tropas de Almanzor se retiraron. Los ladrones volvieron a ser soldados. La disciplina volvió al ejército.

Desde la isla donde se habían refugiado[1] las mujeres, los niños y los ancianos vieron durante aquellos ocho días interminables cómo Santiago de Compostela estaba cubierta de humo durante el día y de un resplandor[2] rojo durante la noche.

Al décimo día decidieron regresar. El ejército invasor había continuado hacia el norte. Los refugiados solo encontraron en su ciudad santa ruinas y casas quemadas.

Edurne no lloraba como las mujeres, pero se sentía tan triste como ellas. Su aldea, solo un mes antes, la habían saqueado y destruido, pero no de manera tan horrible. Aquí, al menos, no había muertos, pero no quedaba piedra sobre piedra.

Los niños lloraban, asustados, incapaces de comprender por qué olía a madera quemada.

Las mujeres lloraban también, desesperadas, buscando entre las ruinas algo que los invasores hubieran dejado en el camino.

Los ancianos lloraban menos, quizás porque ya sabían que hay cosas en la vida que no vuelven, pero su dolor por las iglesias quemadas y los monumentos perdidos era igual de grande.

GLOSARIO

[1] **refugiarse**: esconderse, buscar un sitio seguro para estar [2] **resplandor**: brillo, luminosidad

Los invasores solo habían respetado dos cosas: al viejo obispo Mezonzo y el sepulcro del apóstol.

Todo lo demás había sido víctima del ejército: el oro y la plata de las iglesias, el bronce[3] de las mesas, el cristal de las ventanas.

No quedaba una casa sin saquear, sin humillar, sin incendiar. No quedaba una calle sin ensuciar, sin destrozar.

Como muestra de su poder sobre la ciudad vencida, Almanzor ordenó llevarse las campanas de la basílica y sus enormes puertas de madera y bronce.

Todos lloraban la pérdida del esplendor[4] de la ciudad. Santiago nunca volvería a ser como antes. La guerra la había destruido.

—No, no volverá a ser como era antes —suspiró[5] Mezonzo y recogió del suelo un trozo de madera quemado—. Será mejor. Reconstruiremos la ciudad. Lo haremos entre todos. Y cuando nosotros ya no estemos, lo harán nuestros hijos. A partir de hoy, Compostela será más grande. Más santa. ¿No lo veis?

Mezonzo señaló al cielo.

—¿No lo veis? Almanzor ha destruido la ciudad, pero no ha apagado las señales del cielo. Ved el campo de las estrellas. Ved cómo todavía y siempre señala el camino. Dice que estamos aquí. Que volveremos a estarlo. Siempre, hasta el fin de los tiempos.

Las mujeres, los niños y los ancianos se arrodillaron mientras el viejo obispo los bendecía con lágrimas[6] en los ojos. Luego, todos se pusieron en pie y ayudaron a Mezonzo a recoger los escombros[7].

—Santiago vive. El apóstol todavía nos acompaña. Compostela será más grande mañana.

GLOSARIO

[3] **bronce**: metal de color amarillo rojizo [4] **esplendor**: fama, gloria [5] **suspirar**: aspirar el aire profundamente y soltarlo después para expresar pena, deseo u otra emoción [6] **lágrima**: gota que se echa al llorar [7] **escombro**: ruina, resto de un edificio derribado

El trabajo de reconstrucción comenzó entonces. La esperanza por el futuro fue más fuerte que el dolor por el presente. Ellos tal vez no lo verían, ni sus hijos, ni los hijos de sus hijos, pero las palabras del viejo hombre santo habían marcado su camino. Santiago de Compostela, tras esta destrucción, se convertiría en la ciudad más importante de la cristiandad después de Roma. Una nueva puerta de la gloria. Sin embargo, para eso faltaban aún muchos siglos.

Tres días más tarde regresaron los ejércitos derrotados.

Eran muy pocos y venían heridos, las armaduras rotas, los caballos cojos. Las mujeres, los niños y los viejos salieron a recibirlos, a buscar a sus padres, a sus hijos y esposos. Y volvieron a llorar. Unos por la alegría del reencuentro. Otros por el dolor de la pérdida.

Edurne esperó en vano a sus dos amigos peregrinos. Pero no vio regresar a Sancho ni a Martín.

Esperó a la noche.

No regresaron. Al amanecer, un nuevo grupo apareció en la ciudad. Era un grupo de heridos, los pocos que habían sobrevivido a la batalla.

En una camilla, arrastrado[8] por una mula, venía Martín. Sucio, ensangrentado, flaco. Tenía la ropa manchada de sangre y una herida de espada en un lado. Parecía diez años más viejo, aunque habían pasado solo diez días. El joven, el idealista Martín, que había venido a Compostela en busca de la paz y tuvo que marchar a la guerra. Sancho no estaba con él. Era uno de los hombres que no habían regresado.

—¡Martín! Martín, ¿qué te han hecho? ¿Estás malherido? ¿Puedes hablarme? ¿Me oyes, Martín? ¿Y Sancho? ¿Dónde está Sancho?

GLOSARIO
[8] **arrastrar**: llevar algo o a alguien tirando de él

Martín abrió ligeramente los ojos. En ellos se veía que estaba cansado y sentía un dolor más profundo que la derrota. Ya no tenía la mirada de un muchacho, sino la de un hombre. Un hombre derrotado.

—No lo sé, Edurne. La batalla..., nunca imaginé que la guerra fuera así. Un caos de hombres y de sangre. Gritos, miedo. Sancho... Sancho estuvo siempre a mi lado. Me protegió mientras pudo. Gracias a él estoy vivo.

—¡Pero si estás herido!

Martín sonrió con tristeza.

—Si no es por Sancho, ahora estaría muerto. Nos atacaron. Nos rodearon. Yo perdí pronto la espada. Mi escudo quedó destrozado y me hirieron. Luego...

Con dificultad, Martín tragó[9] saliva[10]. Edurne le dio un poco de agua.

—Sancho me protegió cuando yo me desangraba en el suelo —continuó Martín en voz baja—. Pero la batalla... Tuvimos perdida la batalla casi desde el principio. Eran tantos..., y tan bien armados. Sancho tuvo que sacarme a rastras[11] de allí, me escondió entre unos árboles..., y luego siguió luchando.

Los dos jóvenes se miraron. Ahora había lágrimas en los ojos de Edurne.

—No nos volvimos a ver. Se hizo de noche y la batalla se alejó. Yo me quedé allí, rodeado de otros hombres heridos y de muertos. Esperaba..., no sé, esperaba que Sancho volviera a rescatarme, como hizo aquella vez que me sacó de la zanja en el camino, el día que nos conocimos. Pero Sancho no vino esa noche. Ni todo el día siguiente. Ni la noche de después, la noche que vimos arder el cielo..., aunque lo que ardía realmente era Compostela.

GLOSARIO

[9] **tragar**: hacer pasar la comida de la boca al estómago [10] **saliva**: líquido que se produce en la boca [11] **a rastras**: arrastrando algo

—¿Crees entonces…? ¿Crees que ha muerto?

Martín trató de incorporarse[12] en su camilla, pero no pudo. Cerró los ojos un momento e intentó recuperar fuerzas. Y no llorar como lloraba Edurne. «Qué curioso», pensó. La muchacha no había llorado desde que la encontraron en su aldea destruida. Y ahora, sin embargo, la ausencia de Sancho la llenaba de tristeza.

—No lo sé. Es posible que no…, es posible que aún esté vivo, escondido en los bosques, esperando el momento de regresar. Una cosa sí es segura, Edurne: su cuerpo no estaba entre los muertos. Había muchos, muchos muertos… Pero habría podido reconocer a Sancho en cualquier parte.

—¿Estás seguro? ¿Crees que vive todavía?

Martín fue incapaz de seguir mirando a la muchacha a los ojos.

—No lo sabremos hasta que vuelva.

—¿Y si no vuelve? ¿Eso significará que…?

—Si no vuelve… Edurne, si no vuelve, es posible que los hombres de Almanzor lo hayan hecho prisionero[13]. Y que ahora mismo sea uno de esos cientos de esclavos que arrastran las campanas y las puertas de la ciudad camino de Córdoba.

Edurne empezó a llorar de nuevo. Y, entonces, por primera vez desde que la conocía, Martín descubrió con gran dolor que la muchacha que él amaba estaba enamorada de su amigo.

GLOSARIO

[12] **incorporarse**: pasar de estar tumbado a estar sentado [13] **prisionero**: preso, esclavo

Capítulo XI
Una decisión difícil

Martín se recuperó[1] lentamente de sus heridas. Era joven y fuerte y, aunque las cicatrices se le abrieron un par de veces y tuvo pesadillas[2] terribles a causa de la fiebre, los cuidados de Edurne y de algunas mujeres de Compostela lograron que recuperara la salud o, al menos, la fuerza de su cuerpo.

Otra cosa era el espíritu, las heridas del alma. La tristeza de la derrota ante el ejército de Almanzor y la destrucción de Santiago de Compostela se le quedó marcada profundamente. Pero, sobre todo, estaba triste por haber perdido a Sancho.

La ciudad volvería a levantarse tarde o temprano. Necesitaría años, necesitaría siglos, pero la piedra es la piedra y puede sustituirse por otra, se puede trabajar, moldear[3] y hasta puede hacerse más bella.

Pero Sancho no iba a volver. No había vuelto y Martín estaba seguro de que no iba a hacerlo ya. Habían pasado semanas desde la derrota y, aunque todavía seguían regresando hombres heridos que se habían ocultado en los bosques, Sancho no había sido uno de ellos.

Martín sentía que le faltaba algo sin la compañía de su amigo. Cuando sus padres murieron, se supo huérfano[4], pero

---

GLOSARIO
[1] **recuperarse**: recobrar la salud [2] **pesadilla**: mal sueño [3] **moldear**: dar forma a algo
[4] **huérfano**: persona que ha perdido a sus padres

en seguida decidió viajar a Compostela para pedir perdón por sus pecados y pedir el perdón de Dios.

El camino lo había hecho más fuerte, un hombre nuevo capaz de sobrevivir solo…, o eso había creído hasta que cayó a aquella zanja de la que no pudo salir.

Hasta que apareció Sancho, con su expresión seria y sus músculos marcados de cicatrices antiguas. Cuando Martín ya pensaba que iba a dejarlo allí o peor todavía, que iba a matarlo, Sancho lo sacó de la zanja, le vendó[5] el pie herido, le preparó una sopa caliente y lo abrigó[6] con unas mantas.

Parecía que había pasado mucho tiempo desde entonces, pero solo habían sido unos meses. Sancho, silencioso, experto en tantas cosas, como el joven Martín había descubierto cada día, se había convertido en una especie de hermano mayor para él, en su protector y su maestro.

En algún momento Martín pensó que el camino iba a ser más fuerte que él, que no iba a conseguirlo, que iban a derrotarlo los lobos[7] del bosque o los bandidos, pero desde que encontró a Sancho, Martín supo que el final del viaje lo harían los dos juntos ante la tumba del apóstol.

Y así había sido. Pero Martín no había imaginado que la guerra iba a seguirles los pasos, que él iba a convertirse en guerrero y Sancho iba a volver a un oficio que había dejado atrás.

Ahora Sancho había muerto. La idea resultaba odiosa, pero tenía que aceptarla. Sancho había muerto en la batalla, aunque no habían encontrado su cuerpo. Y Martín supo que estaba otra vez solo, sin su protector, sin su maestro, sin su amigo. Otra vez huérfano.

Pero no solo estaba triste por la desaparición de Sancho. Porque no solo él recordaba a Sancho y lamentaba su muerte.

GLOSARIO

[5] **vendar**: cubrir una herida o lesión con una banda de tela [6] **abrigar**: cubrir con prendas de abrigo para dar calor [7] **lobo**: animal mamífero salvaje

No solo él echaba de menos[8] a su amigo. Edurne no había vuelto a ser la misma desde la batalla y la derrota. Cuidaba de él: le cambiaba las vendas, le daba de comer sopas calientes, lo lavaba y refrescaba[9] su frente cuando tenía fiebre.

Pero lo hacía sin alegría en los ojos, con una tristeza que era más fuerte que la preocupación que sentía por su estado de salud.

Martín comprendió que Edurne dependía de Sancho tanto como él. Que la muchacha, aunque era valiente y dura, no habría sobrevivido sola en aquel valle sin Sancho, que la había protegido de los soldados que habían matado a todos los suyos, a aquel marido joven con quien solo había estado casada unas semanas.

Martín no era experto en el amor, eso que cantaban los juglares y alegraba las canciones de las fiestas del mes de mayo, pero sabía que lo que sentía por Edurne era amor.

Y sabía que ese brillo que había en los ojos de Edurne cuando hablaba de Sancho, cuando recordaba a Sancho, era amor. El mismo tipo de amor que él sentía hacia ella…, pero dirigido hacia otro: hacia un amigo que estaba muerto, un amigo que no había regresado de la batalla.

Si Sancho estuviera ahora vivo… Martín no sabía si Sancho se había enamorado también de la muchacha. Era un hombre silencioso, con un pasado de sangre y guerra del que nunca hablaba. Sancho no mostraba sus emociones y, sin embargo, sí causaba emociones en los demás.

Si Sancho estuviera vivo…, tal vez Edurne y él podrían ser felices. Sancho quería empezar una nueva vida en un sitio nuevo: una granja[10], unos animales, unas tierras.

Y después unos hijos, una familia, un hogar al que volver cada noche. Martín soñaba con lo mismo.

GLOSARIO

[8] **echar de menos**: añorar, sentir la falta de algo   [9] **refrescar**: reducir el calor de algo
[10] **granja**: casa de campo donde se crían animales

El sueño de Martín tenía una cara, la de Edurne. Pero la cara de Edurne no lo miraba con los ojos con los que recordaba a Sancho. Sin embargo, Martín sabía que quizá el tiempo estaba a su favor. Que solo tenía que esperar: la llama del amor arde con poca fuerza al principio. Se lo habían contado sus padres.

Edurne podía aprender a quererlo, igual que había aprendido a querer a aquel otro muchacho con el que se había casado hacía unos meses y que ahora había tenido que olvidar. Martín podía esperar.

Sancho se había convertido en una sombra entre los dos. Martín notaba su presencia entre ambos, más grande que cuando vivía. Y el dolor de su alma, aquel dolor doble por amar y no ser amado y por el amigo perdido, lo llevó a tomar una decisión.

Llamó a Edurne una mañana. Mientras se ponía las botas y se abrigaba, miró a la muchacha.

—Sancho no volverá. Si está muerto, no lo sabremos nunca. Si está vivo y prisionero de Almanzor, solo hay una forma de averiguarlo[11].

—¿Qué quieres decir?

—El frío llegará cuando acabe septiembre y entonces los pasos entre las montañas se llenarán de nieve y los ríos se helarán[12]. Almanzor y su ejército van camino de Córdoba. Si Sancho es prisionero, va con ellos. Y yo voy a seguirlos. Quiero saber si está vivo o muerto. Me salvó la vida dos veces. Es lo menos que puedo hacer por mi amigo.

Edurne lo miró con los ojos llenos de lágrimas. Se quitó el delantal[13], se apartó el pelo de la cara y asintió.

—Voy contigo.

GLOSARIO

[11] **averiguar**: descubrir la verdad de algo [12] **helarse**: congelarse [13] **delantal**: prenda que se utiliza para cocinar, limpiar, etc. que cubre la parte delantera de la ropa e impide que esta se manche

Capítulo XII
En busca de Sancho

Compraron dos caballos por unas pocas monedas a un hombre que tenía varios y se alegró de poder cambiarlos por dinero: el dinero no pide de comer y se guarda más fácilmente.

Ni Edurne ni Martín montaban bien a caballo, pero ambos sabían que el largo camino sería más sencillo a caballo que a pie y Martín todavía recordaba los malos ratos que habían pasado con la mula que llevaron hasta Compostela. Se pusieron en marcha una mañana, después de rezar una última vez ante la tumba del apóstol y recibir la bendición del viejo Mezonzo. Martín no supo nunca si el anciano monje había protegido realmente las reliquias del santo o si las había mandado esconder en otra parte mientras el ejército invasor saqueaba Compostela. El secreto, en cualquier caso, era de Mezonzo y Mezonzo no lo había compartido con nadie.

Edurne y Martín sabían que el viaje iba a ser largo y duro. Los sarracenos y sus esclavos les llevaban al menos tres semanas de ventaja en su lento regreso a la lejana Córdoba.

Sancho había enseñado a Martín a guiarse por[1] las estrellas. El ejército de Almanzor, con sus cientos de esclavos, estaba ya muy lejos, pero viajaba hacia el sur y los dos jóvenes a caballo esperaban poder alcanzarlos antes del otoño. Un

---

GLOSARIO
[1] **guiarse por**: orientarse por

ejército avanza despacio, incluso en la retirada, y la razia de los hombres de Córdoba sin duda era aún más lenta por el botín que arrastraban: las campanas, las puertas, los esclavos.

Martín sabía que tenían pocas posibilidades de encontrar a Sancho. No sabían si estaba vivo, ni si era uno de los esclavos que el ejército vencedor se llevaba al sur. Pero los dos vivían con esa ilusión[2] y esa ilusión les hacía ser más fuertes que el duro viaje que tenían por delante. Un viaje donde la presencia de Edurne llenaba a Martín de alegría y de tristeza al mismo tiempo.

Pasaron hambre y frío, pero eso era lo normal al recorrer los caminos, siempre peligrosos. Un sendero[3] equivocado, un bosque desconocido, un río que bajaba demasiado frío o demasiado rápido podían poner fin al viaje en cualquier momento; igual que la lluvia o las nieves, cuando llegaran.

Los días se convirtieron en semanas y, poco a poco, recorrieron la distancia que los separaba del ejército que regresaba al sur. Encontraron huellas de su paso: pueblecitos tan quemados como había quedado Compostela, iglesias y monasterios destrozados, campos aplastados por el paso de los miles de jinetes. Y fugitivos[4], gente que tenía que rehacer su vida en otros lugares y que había sobrevivido a la destrucción que el ejército de Almanzor, como todos los ejércitos, había dejado: hombres heridos, mujeres asustadas, niños desconsolados, ancianos de mirada triste y boca sin dientes.

Mientras todos huían, Edurne y Martín perseguían a las tropas de Almanzor, manteniendo viva una esperanza que no tenía ninguna lógica. En vano aquellos hombres de manos sin dedos, aquellas mujeres llenas de miedo, aquellos niños que lloraban sin descanso, intentaban convencerlos de que los acompañaran en busca de otro lugar donde empezar de nuevo.

GLOSARIO

[2] **ilusión**: esperanza, alegría [3] **sendero**: camino estrecho [4] **fugitivo**: persona que tiene que huir y esconderse

Solo los viejos los veían continuar su viaje pero no les decían nada, porque ya sabían que si te juegas la vida[5], al final la pierdes. Y ellos sabían mejor que nadie que la vida no tenía ningún valor: como la luz de una hoguera, se enciende y se apaga, y no se puede volver a encender jamás.

También encontraron cadáveres[6]. Los cuervos[7] y los buitres[8] anunciaban su presencia. Y los lobos, de vez en cuando. Al principio eran los cadáveres de la gente que se había encontrado con el ejército, las víctimas de la guerra: campesinos, guerreros, monjes.

Luego, poco a poco, y a medida que se iban acercando al ejército de Almanzor, empezaron a encontrar otro tipo de muertos en el camino: los esclavos que no podían mantener el ritmo y que el ejército abandonaba. Algunos habían muerto por el cansancio o los latigazos[9], a otros los habían apartado del resto del ejército con la garganta[10] cortada, como la basura que se tira a un río.

Ninguno de aquellos hombres era Sancho. Más que nunca, Sancho se había convertido en un fantasma.

—Si está con ellos, está vivo —se repetía Martín una y otra vez—. Si lo hicieron prisionero y luego esclavo, Sancho no ha caído como han caído estos hombres. Es fuerte. Sobrevivirá.

Martín no sabía si creer él mismo estas palabras. Pero Edurne asentía y continuaba su camino. Ninguno de los dos había pensado qué harían cuando alcanzaran al poderoso ejército de Córdoba y descubrieran si Sancho era o no uno de los esclavos que llevaba el tesoro de las campanas de Santiago.

Tarde o temprano los dos jóvenes alcanzarían a los hombres del sur. Una muchacha atractiva y un joven inexperto. Solo podía esperarlos también la esclavitud o la muerte. O algo aún peor que la esclavitud y la muerte. Pero no les importaba.

GLOSARIO

[5] **jugarse la vida**: poner la vida en peligro [6] **cadáver**: cuerpo de un muerto [7] **cuervo**: pájaro negro y grande [8] **buitre**: ave que se alimenta de carne muerta [9] **latigazo**: golpe que se da con el látigo (instrumento de castigo que también se usa para domar algunos animales salvajes) [10] **garganta**: parte de delante del cuello

Capítulo XIII
El ejército en marcha

Un ejército en marcha es como una ciudad en movimiento, como una plaga[1] de insectos que todo lo arrasa a su paso.

Cada día, el ejército de Almanzor tenía que acampar, encender las hogueras, marcar una zona de defensa, preparar las comidas, atender a los caballos, revisar los carros... Y desmontarlo todo al amanecer para ponerse en marcha y volver a acampar al día siguiente.

Miles de jinetes y de soldados a pie, cientos de animales de carga, carros tirados por bueyes[2]. Cocineros y criados para el *hayib*, decenas de voluntarios que querían participar también en la guerra santa aunque no fueran guerreros, líderes religiosos para consolar[3] a las tropas. Aunque los soldados no podían llevar consigo el Corán, para que el libro santo no cayera en manos del enemigo infiel, Almanzor siempre viajaba con aquel libro que él mismo había copiado a mano.

Junto con el ejército vencedor viajaban los vencidos: los esclavos.

Los que sobrevivieran al viaje serían encarcelados[4] en Córdoba. A algunos los venderían a amos que los pondrían a trabajar en los campos[5].

GLOSARIO

[1] **plaga**: aparición masiva y repentina de seres vivos dañinos [2] **buey**: macho vacuno castrado [3] **consolar**: aliviar la pena de alguien [4] **encarcelar**: meter en la cárcel [5] **campo**: terreno dedicado a la agricultura

Otros, con mejor suerte, formarían parte de un sistema de comercio y serían devueltos a sus parientes dentro de muchos meses, cuando se pagara por ellos el precio negociado.

A algunos los ejecutarían[6] cuando intentaran rebelarse contra sus amos. Otros cambiarían de religión y se adaptarían a la nueva vida y las nuevas costumbres. Y muchos quedarían en el camino, agotados por el esfuerzo de arrastrar aquellas campanas de bronce que Almanzor quería convertir en lámparas para su mezquita[7].

Córdoba era, para todos, la esperanza del final del viaje, el regreso a la vida cotidiana[8] para los vencedores, la ilusión de sobrevivir al terrible camino para los vencidos.

Nadie quería quedar atrás. Los esclavos caían y luchaban por levantarse. Sufrían el camino y los latigazos, descansaban cada noche mirando hacia las estrellas.

Casi todos aceptaban su destino: quienes habían intentado rebelarse habían muerto. Por eso, el resto esperaba al final del viaje. Ahora ya no eran soldados, ni siquiera hombres: eran esclavos, y la vida del esclavo depende del capricho[9] de sus amos.

Ellos tenían al amo más poderoso de todos, al amo más cruel, al hombre que los cristianos consideraban un demonio: Almanzor. Se decía que ni siquiera había movido un músculo de la cara cuando recibió en un saco la cabeza de su propio hijo, que lo había traicionado[10].

Entre aquel océano de animales y gente estaba Sancho. Tenía que estar. Martín y Edurne estaban seguros. Habían visto el ejército desde lo alto de una colina y ahora solo esperaban una ocasión para poder mezclarse con las tropas, con los cientos de criados[11]. Si se acercaban a los esclavos, cualquiera de ellos podría decirles si Sancho el navarro estaba con ellos. El problema era cómo hacerlo. Eran dos muchachos contra un ejército inmenso.

GLOSARIO

[6] **ejecutar**: matar a un prisionero [7] **mezquita**: templo musulmán [8] **cotidiano**: del día a día [9] **capricho**: deseo arbitrario y temporal [10] **traicionar**: faltar a la lealtad [11] **criado**: persona que trabajaba a las órdenes de otra

Capítulo XIV
El esclavo

Un elefante no diferencia a una mosca[1] de una hormiga[2]. Las ignora a las dos. A la hormiga la aplasta[3], a la mosca la soporta porque no siente su molestia. El ejército de Almanzor era el elefante, y Edurne y Martín eran pequeños insectos que intentaban subirse sobre él. Eran tan insignificantes[4] que nadie se dio cuenta de que estaban allí, como niños que jugaban al juego del escondite[5] contra un gigante que no tenía tiempo para esas cosas.

Entre los soldados de a pie, los jinetes, los carros de provisiones[6] y armas y los animales de carga, había otro pequeño ejército de gente que atendía las necesidades de los vencedores: cocineros, criados, lavanderas, médicos. Gente que había partido desde la lejana Córdoba y también gente que se había unido en el camino, después de cada batalla.

Eran niños sin padre, enamoradas o esposas encontradas por el camino, escuderos[7] y mozos de establo[8]. Muchos de ellos habían perdido ante el ejército invasor y lo seguían porque nece-

---

GLOSARIO

[1] **mosca**: insecto pequeño negro y con alas [2] **hormiga**: insecto negro y pequeño que vive en comunidad [3] **aplastar**: presionar sobre una cosa y aplanarla o hacerla más estrecha [4] **insignificante**: muy pequeño, mínimo [5] **juego del escondite**: juego en que varias personas se esconden y otra los busca [6] **provisiones**: alimentos [7] **escudero**: ayudante de caballero que le llevaba el escudo [8] **mozo de establo**: joven que trabaja en el establo cuidando a los animales

sitaban la protección de un nuevo amo. Otros eran aliados del poderoso señor de Córdoba, los servidores de los condes cristianos que no luchaban por cuestión de religiones, sino de riquezas[9].

No les fue difícil mezclarse con ese grupo de gente: el ejército era tan grande que siempre había sitio para un criado que limpiaba un caballo o una muchacha que lavaba en los ríos. Eran dos hormigas, eran dos moscas, y el elefante armado que era el ejército cordobés no podía tener miedo de ellos.

—Si Sancho está aquí —le susurró Martín a Edurne—, será uno de los hombres que empujan las campanas o las puertas. Es demasiado fuerte para hacer otro trabajo.

—Si ha sobrevivido al camino.

—Ya te digo que es fuerte.

Habían aprendido a ser pacientes. Los dos sabían que todavía quedaba mucho viaje por delante. Córdoba estaba lejos y ahora el tiempo estaba a su favor. Así que esperaron. Se ganaron la confianza de los cocineros, de los pajes[10], de los mozos de establo y de los soldados que vigilaban a los esclavos.

Nueve días más tarde encontraron a Sancho. Lo encontró Martín entre un grupo de esclavos agotados[11]. Dudó al principio que fuera Sancho. Era tan alto y tan ancho de hombros como él y tenía el mismo pelo negro desordenado. Pero ahora llevaba una barba sucia y descuidada[12] y no caminaba con la decisión con la que había caminado durante todo el viaje hasta Santiago. Sancho caminaba ahora despacio, temblando, sin fuerzas: empujar cada día el botín de la guerra hasta Córdoba lo había debilitado.

Estaba descansando entre un grupo de esclavos, sentado en el suelo. Martín se arrodilló junto a él y le ofreció una calabaza con agua. Sancho bebió con ganas, como si fuera un vino caro.

GLOSARIO

[9] **riqueza**: abundancia de bienes y cosas preciosas [10] **paje**: criado que acompañaba a los señores [11] **agotado**: muy cansado, extenuado [12] **descuidado**: desordenado, desaseado

Al devolverle la calabaza para que la llenara de nuevo, los ojos de los dos amigos se encontraron.

—¿Martín? ¿Qué haces tú aquí? ¿También te han hecho esclavo?

—Hemos venido a rescatarte, Sancho. Baja la voz para que no nos oigan.

—¿Hemos?

—Edurne me acompaña. Está en el río, con los demás criados.

—¿Edurne aquí? Pero…

—Venimos desde Compostela a rescatarte, Sancho. Ella te…

Martín no pudo terminar la frase.

—¿Es que estás loco, muchacho? ¿Quieres que la maten? ¿Que os maten a los dos?

—Este ejército es tan grande que no notarán que falta un hombre.

—No, eso ya lo sé —Sancho no podía evitar su malestar[13]—. Hemos ido abandonando por el camino a gente que no podía continuar y siempre hemos seguido adelante. Pero no ha escapado nadie, muchacho.

—Seremos los primeros.

—No voy a permitir que Edurne y tú…

—Escucha, puedes decidir sobre tu vida, pero no sobre las nuestras. Hemos venido a por ti. Edurne…

—Llévatela de aquí inmediatamente, Martín.

—Solo si nos vamos los tres; o nos venderán a todos como esclavos en Córdoba.

—O nos matarán.

—No me importa que nos maten. Ella no quiere vivir sin ti, y tú deberías entender que es mejor para ti vivir con ella. O intentamos escapar los tres o todo este esfuerzo habrá sido en vano.

GLOSARIO
[13] **malestar**: inquietud, molestia

Sancho no dijo nada. Miró el suelo.

—Dentro de cuatro días habrá luna nueva[14] —dijo Martín—. Sin luz, será fácil escapar. Nos ocultaremos en alguna de las muchas cuevas de esta sierra: no podrán perder mucho tiempo en buscarnos; el ejército tiene que seguir su camino.

—¿Dentro de cuatro días?

—He comprobado cómo hacen las guardias. Será fácil escaparnos.

—Eso dijo el tonto antes de acabar colgando de una cuerda[15].

Martín recogió el cazo y se puso en pie. No quería levantar sospechas.

—Si nos capturan, no usarán la horca[16] —dijo, con sorprendente buen humor—. Usarán los alfanjes.

GLOSARIO

[14] **luna nueva**: ausencia de luna [15] **cuerda**: conjunto de hilos unidos entre sí que forman un cuerpo más o menos resistente que se utiliza para atar [16] **horca**: conjunto de uno o dos palos verticales sujetos al suelo y otro horizontal del cual se cuelga por el cuello a los condenados a muerte

Capítulo XV
Luna nueva

Pasaron los cuatro días con miedo y con esperanza.

Martín no volvió a acercarse a Sancho para darle agua. Sí se acercó a otros esclavos, hombres que bebían de la calabaza y cerraban los ojos y casi no hablaban con él. Hombres que también habían perdido mucho más que una batalla: su familia, su ganado[1], sus tierras. Hombres que iban hacia Córdoba, donde no sabían qué los esperaba.

A Martín le entristecía no poder ayudar también a estos esclavos. Muchos de ellos no sobrevivirían las semanas que faltaban para llegar a la capital del califato. Otros… Martín no se atrevía a imaginar su futuro. Ojalá pudiera liberarlos a todos, ojalá pudiera cortar las cuerdas con las que los ataban cada noche, las cadenas con las que los castigaban durante el día.

Pero era solo un hombre contra un ejército. Y aunque estaba seguro de que podía escapar con Sancho, porque un elefante no distingue a una mosca de una hormiga y son necesarias muchas hormigas o muchas moscas para llamar su atención, sabía que nunca podría ayudar a estos hombres a encontrar el camino de la libertad.

Recordó los ejemplos de las parábolas del Nuevo Testamento y pensó que él mismo era un discípulo del Buen

---

GLOSARIO
[1] **ganado**: grupo de vacas, ovejas, etc.

Pastor que abandonaba a todas sus ovejas para rescatar a una que había perdido. Sancho era su oveja perdida. Las otras ovejas… las otras ovejas tendrían que esperar a otro día, a otra noche.

Aunque no habló con Sancho, sí se comunicó con él: un gesto con la cabeza, una mirada. El terco Sancho había comprendido que la huida era una posibilidad. Quizás lo hacía por sí mismo. O por Edurne y Martín. Recuperada la esperanza, Sancho había recuperado también su capacidad de ponerse al mando[2]. Si escapaban de allí los tres, Sancho volvería a cuidar de los dos muchachos.

Se hizo por fin de noche.

El enorme campamento[3] se extendía por todo el valle, como un dragón[4] dormido a la espera del día siguiente. Había parado a pasar la noche. Los animales y los hombres dormían, y en ese momento los soldados parecían hombres de paz. Las hogueras ardían y la leña sonaba en el fuego. Los centinelas[5] bostezaban[6] aburridos.

Tampoco ellos vieron moverse a las dos sombras en la noche. Con cuidado, sin hacer ruido, Martín y Edurne se acercaron al lugar donde dormían los prisioneros.

Sabían dónde esperaban los centinelas. Aunque no podían verlos en la oscuridad, sabían cuándo se levantaban a aliviar[7] las necesidades de sus cuerpos. Se arrastraron en silencio, hasta que llegaron al lugar donde los esclavos dormían y soñaban con una libertad que muchos de ellos no iban a volver a vivir. Otros no la habían vivido nunca.

Edurne vigiló mientras Martín reptaba hacia el grupo de hombres donde Sancho esperaba, el único esclavo despierto

---

GLOSARIO

[2] **ponerse al mando**: dirigir [3] **campamento**: instalación temporal de personas que están en camino [4] **dragón**: ser fantástico que echa fuego por la boca [5] **centinela**: vigilante, guarda [6] **bostezar**: abrir la boca involuntariamente, normalmente a causa del sueño [7] **aliviar**: hacer más ligero

entre todos los demás. Cortó las cuerdas que ataban sus pies a una cuerda común y los dos amigos regresaron a rastras por donde Martín había venido.

Se reunieron con Edurne. Casi no hubo tiempo para un saludo rápido, un abrazo en la oscuridad. Tenían que alejarse del enorme campamento antes de que amaneciera. Tenían que alejarse antes de que el ejército notara que Sancho había escapado. Para entonces, sería ya demasiado tarde para alcanzarlos.

Un elefante no nota a una mosca ni a una hormiga, pero sabe perfectamente dónde se esconden las serpientes.

Los tres amigos no habían salido aún del campamento cuando un grupo de soldados a caballo los rodeó.

A la luz de las hogueras lejanas, los alfanjes brillaron.

Capítulo XVI
Almanzor

Fue la noche más larga de la vida de Martín, y también la más amarga. Sabía que era la última. Por su culpa Edurne, Sancho y él mismo iban a ser ejecutados. Si veía el amanecer, sería lo último que verían sus ojos.

Las horas eran largas. Lo habían atado de pies y manos a un árbol. Estaba torcido[1], incómodo. Cerca estaban sus dos amigos, aunque no podía verlos en la oscuridad. Ninguno hablaba. Pero Martín podía oír la respiración de Sancho y el llanto de Edurne.

Aprovechó las horas para hablar con Dios. Rezó, pidió perdón por sus pecados y, sobre todo, por su estupidez[2]. Recordó a sus padres, al viejo obispo Mezonzo, todo lo que había aprendido camino de Compostela. Y dio gracias, porque había conocido el amor de una muchacha, aunque esa muchacha no lo amaba, y porque había seguido a su corazón e iba a morir luchando por lo que creía justo[3].

Le daría su alma a Dios y este sabría si debía condenarlo o salvarlo. No sentía miedo a la muerte, sino tristeza por no haber podido terminar las cosas que siempre había querido. Y le dolía llevar a la muerte a Edurne y a Sancho.

GLOSARIO

[1] **torcido**: (aquí) en una mala posición, curvado [2] **estupidez**: idiotez, simpleza [3] **justo**: íntegro, honesto

Amaneció con lluvia, agua helada que venía de más allá de los montes. El campamento se llenó de ruidos de metales y animales. Llegó el olor del humo de las hogueras y la comida calentada rápidamente antes de continuar la marcha.

Nadie les trajo pan, ni agua. No merecía la pena[4] malgastar las provisiones con ellos.

Unos soldados los rodearon[5], quizá los mismos que los habían detenido. A empujones, los arrastraron hacia una zona despejada[6]. Sancho cayó al suelo. Edurne tropezó y cayó a su lado. A Martín lo obligaron a ponerse de rodillas y sintió entonces debajo del cuello el frío del alfanje que iba a cortarle la cabeza.

El tiempo pareció detenerse. Martín notó la tensión de los músculos del hombre que lo sujetaba, olió su sudor y su respiración. El hombre esperaba la orden para matarlo.

Martín vio entonces el caballo que se había detenido ante ellos y los soldados. Un caballo negro, hermoso como no había visto nunca ningún caballo, con arreos de oro y plata.

Lo montaba un hombre de aspecto fuerte, barba y ojos negros. Llevaba un turbante, una capa y una espada a un lado del cuerpo. Ni Martín ni Sancho lo habían visto antes, pero comprendieron que era el caudillo del ejército cordobés. Almanzor, el Victorioso de Alá, había venido a ver su ejecución.

—¿Son estos? —preguntó. Ninguno de los tres entendió sus palabras, pero comprendieron que el *hayib* sabía que habían intentado huir.

Los musulmanes hablaron en su lengua. Almanzor miró a la muchacha. Miró al esclavo que habían intentado rescatar. Miró a Martín.

—¿Este hombre es tu hermano? —le preguntó al muchacho en su idioma.

GLOSARIO

[4] **merecer la pena**: ser lo suficientemente importante como para [5] **rodear**: situarse alrededor de [6] **despejado**: espacioso, amplio

La espada se separó unos milímetros de su cuello.

—N..., no. Es..., mi amigo —respondió Martín en voz baja.

—¿Esa mujer es tu esposa? —insistió el *hayib*—. ¿Es tu hermana, quizás?

Martín negó con la cabeza.

—¿Es la esposa de tu amigo?

Martín no contestó.

El poderoso Almanzor se acarició la barba. Sus dientes blancos, como los de un lobo, brillaron.

—¿Nos habéis seguido desde Compostela solo para liberar a este hombre que no es tu hermano ni tu esposo? ¿Sería tan difícil para vosotros encontrar otro amigo?

Miró a los ojos a Edurne. Miró a los ojos a Sancho. Miró a los ojos a Martín y, por un momento, el muchacho sintió que aquella mirada del *hayib* se le clavaba en lo más profundo del cerebro.

Almanzor asintió.

—Veo que Alá, el Misericordioso, te ha bendecido dos veces. Eres un loco. Y un loco enamorado, además. Un loco enamorado que se juega la vida por dar a su amada a su mejor amigo.

Martín bajó los ojos. El *hayib* rio.

—El Profeta nos dice que hay que respetar a los locos, porque habéis visto más allá que los mortales[7]. Pero no puedo dejarte sin castigo.

El alfanje volvió a tocar el cuello del muchacho.

—¿Pero qué gano si te convierto en un mártir? Eres un infiel. Tu paraíso no es mi paraíso. Y tú mismo has buscado el castigo más duro con tu locura. Ya tengo suficientes esclavos: nadie pagará por vosotros. Ya tengo suficientes victorias hasta la próxima guerra. Ya tengo suficiente muerte, hasta que tenga que matar de nuevo. Ya que amas y te duele, el dolor del amor incompleto será tu castigo. No el de la muerte.

GLOSARIO
[7] **mortal**: ser humano

Dijo unas palabras en su lengua, y la espada se separó del cuello de Martín; y las espadas que Edurne y Sancho tenían alrededor del cuello se separaron también. Los tres cayeron en la tierra.

—Nadie podrá decir que en la Guerra Santa no se conoce la piedad[8] —dijo Almanzor—. Ya tenéis lo que queríais. Volved a vuestro frío norte y agradeced que Almanzor también ha conocido la locura del amor. *Salam aleikum.*

—*Wa aleikum salam* —respondió Sancho.

El hombre más poderoso del mundo espoleó[9] a su caballo. El ejército lo siguió. El elefante, ya se ha dicho, no hace caso a las hormigas ni a las moscas.

GLOSARIO

[8] **piedad**: misericordia, compasión [9] **espolear**: golpear el jinete al caballo en los lados para que ande

Epílogo

—¿Habéis oído eso?

Martín señaló hacia el norte. Una campana sonaba a lo lejos, solitaria. Su sonido se extendía sobre la nieve.

—Debemos de estar cerca de un monasterio —murmuró Sancho.

La campana insistió, ding-dong, ding-dong. No llamaba a ninguna alerta. Llamaba al rezo.

—Es el primer monasterio que encontramos desde nuestro regreso —dijo Edurne—. El primero que la guerra ha respetado.

La campana siguió sonando, como una canción que invitaba a bailar. Martín miró a sus dos amigos. Había tenido mucho tiempo para pensar en su futuro, tanto durante la persecución del ejército de Almanzor como ahora, que volvían al norte. Sancho y Edurne podrían tener una vida en común, pero él…

La campana del monasterio dejó de sonar. Martín sabía ya que sería feliz en el silencio de ese monasterio.

Notas culturales

Capítulo V

reyes visigodos: los visigodos fueron un pueblo germánico, en concreto la rama occidental de los godos. Conquistaron la península ibérica en el año 415 y permanecieron allí hasta la llegada de los musulmanes a principios del siglo VIII.

el rey Rodrigo en la batalla de un río llamado Guadalete: Rodrigo fue el último rey visigodo de Hispania, entre los años 710 y 711. Los musulmanes lo derrotaron en la batalla de Guadalete. Se considera que con él terminó el reino visigodo de Toledo.

don Pelayo: rey visigodo que inició la Reconquista. Está considerado además como el fundador del Reino de Asturias, que gobernó como primer monarca hasta su muerte, el año 737.

Almanzor (938-1002): Abu Amir Muhammad ben Abi Amir al-Maafirí, llamado Al-Mansur billah, el Victorioso por Alá, fue un militar y político de Al Ándalus (es decir, el territorio de la península ibérica bajo dominio musulmán en la Edad Media) y caudillo del Califato Omeya de Córdoba.

Capítulo VI

califas de los Omeyas de Córdoba: el Califato Omeya de Córdoba fue un estado musulmán andalusí que proclamó Abderramán III el año 929. En esta época, Al Ándalus alcanzó su mayor esplendor en los terrenos de la política, la cultura y el comercio.

mezquita de Córdoba: es, junto con la Alhambra de Granada, la obra de arte más importante de arquitectura andalusí. Se comenzó a construir el año 786 sobre una basílica visigótica. En el siglo XIII, después de la Reconquista, se convirtió en una catedral cristiana.

Glosario

ESPAÑOL	INGLÉS	FRANCÉS	ALEMÁN

Capítulo I

ESPAÑOL	INGLÉS	FRANCÉS	ALEMÁN
[1] sacudir	to shake	secouer	rütteln
[2] frotarse	to rub	se frotter	sich reiben
[3] rascarse	to scratch	se gratter	sich kratzen
[4] rezar	to pray	prier	beten
[5] hoguera	campfire	feu	Lagerfeuer
[6] puñal	dagger	poignard	Dolch
[7] trampa	trap	piège	Falle
[8] murmurar	to murmur	murmurer	murmeln
[9] calabaza de agua	water gourd	courge séchée et vidée pour transporter de l'eau	Wasserkürbis
[10] alforjas	saddlebag	sacoche de selle	Satteltasche
[11] terco	stubborn	têtu	störrisch
[12] arreo	harness	harnais	Putz/Reitzeug
[13] obedecer	to obey	obéir	gehorchen
[14] amargura	bitterness	amertume	Bitterkeit
[15] cicatriz	scar	cicatrice	Narbe
[16] humo	smoke	fumée	Rauch
[17] sacristán	sexton/verger	sacristain	Küster
[18] romería	religious festivity	fête patronale	christliches Volksfest
[19] loma	low hill	colline	Hügel

Capítulo II

ESPAÑOL	INGLÉS	FRANCÉS	ALEMÁN
[1] náufrago	shipwrecked person	naufragé	Schiffbrüchige
[2] desesperado	desperate	désespéré	verzweifelt
[3] atar	to tie up	attacher	anbinden
[4] pisar	to set	marcher	treten
[5] estar en juego	to be at risk	être en jeu	auf dem Spiel stehen
[6] cima	summit	sommet	Gipfel
[7] tumbarse	to lie down	s'allonger	sich hinlegen
[8] reptar	to crawl	ramper	kriechen

ESPAÑOL	INGLÉS	FRANCÉS	ALEMÁN
[9] **valle**	valley	vallée	Tal
[10] **señalar**	to signal	indiquer une direction	auf etwas zeigen
[11] **granero**	barn/granary	grenier	Getreidespeicher
[12] **paja**	straw	paille	Stroh
[13] **arder**	to blaze	brûler	brennen
[14] **rescatar**	to rescue	sauver	retten
[15] **monje**	monk	moine	Mönch
[16] **flecha**	arrow	flèche	Pfeil
[17] **aullar**	to howl	hurler	heulen
[18] **cadáver**	corpse	cadavre	Leiche
[19] **en vano**	in vain	en vain	umsonst
[20] **peregrinación**	pilgrimage	pèlerinage	Pilgerreise
[21] **temblar**	to tremble	trembler	zittern
[22] **escupir**	to spit	cracher	spucken
[23] **arrasar**	to devastate	ravager	niederreißen/ vernichten
[24] **agacharse**	to bend down	se baisser	sich bücken
[25] **revuelto**	turned over	foulé	aufgewühlt
[26] **bandido**	bandit	bandit	Räuber
[27] **encogerse de hombros**	to shrug	hausser les épaules	mit den Schultern zucken
[28] **huella**	footprint	empreinte	Spur
[29] **jinete**	rider	cavalier	Reiter
[30] **oponer resistencia**	to put up a fight	opposer résistance	Widerstand leisten
[31] **saquear**	to sack	voler	plündern
[32] **casco**	helmet	casque	Helm
[33] **peto**	breastplate	plastron	Brustharnisch
[34] **mordisco**	bite	morsure	Biss
[35] **latón**	tin	laiton	Messing
[36] **mugido**	moo	mugissement	Muhen
[37] **frente**	forehead	front	Stirn

Capítulo III

[1] **mareado**	dizzy	étourdi	schwindelig
[2] **ciego**	blinded	aveugle	blind
[3] **esquivar**	to dodge	esquiver	ausweichen

ESPAÑOL	INGLÉS	FRANCÉS	ALEMÁN
4 **saltar**	to leap	sauter	springen
5 **desmayarse**	to faint	s'évanouir	in Ohnmacht fallen
6 **hinchado**	swollen	gonflé	geschwollen
7 **cataplasma**	poultice	cataplasme	(Heilkräuter)auflage, -umschlag
8 **arrodillado**	on your knees	à genoux	auf den Knien
9 **honda**	sling	fronde	Steinschleuder
10 **brusco**	rough	brusque	grob/rauh
11 **asentir**	to nod	acquiescer	nicken
12 **leñador**	woodsman	bûcheron	Holzfäller
13 **hierba**	grass	herbe	Gras
14 **desconsolado**	disconsolate	inconsolable	untröstlich
15 **sarraceno**	saracen (here Muslim)	sarrasin	Im Mittelalter: Moslem
16 **tumba**	tomb	tombe	Grab
17 **apóstol**	apostle	apôtre	Apostel
18 **colgante**	collar/pendant	pendentif	Kettenanhänger
19 **rabia**	rage	rage	Wut
20 **alma**	soul	âme	Seele
21 **tonto**	stupid	idiot	dumm
22 **enterrar**	to bury	enterrer	beerdigen

Capítulo IV

1 **cruz**	crucifix	croix	Kreuz
2 **recuperar**	to get back	récupérer	zurückholen
3 **a salvo de**	safe	à l'abri	sicher (vor)
4 **tirar**	to pull	tirer	zerren/ziehen an
5 **estar harto de**	to be fed up with	en avoir marre de	(von etwas) genug haben
6 **soportar**	to put up with	supporter	ertragen
7 **cencerro**	cowbell	cloche	Kuhglocke
8 **dársele bien algo a alguien**	to be good at doing something	être bon à quelque chose	in etwas gut sein
9 **acampar**	to pitch camp	camper	das Lager aufschlagen
10 **trueno**	thunder	tonnerre	Donner
11 **predicar**	to preach	prêcher	predigen
12 **barca**	boat	barque	Boot

ESPAÑOL	INGLÉS	FRANCÉS	ALEMÁN
[13] hundirse	to sink	couler	sinken
[14] flotar	to float	flotter	schwimmen
[15] arcoíris	rainbow	arc-en-ciel	Regenbogen
[16] zarpar	to set sail	appareiller	auslaufen
[17] ermitaño	hermit	ermite	Einsiedler/Ermit
[18] excavar	to excavate	fouiller	ausgraben
[19] decapitar	to behead	décapiter	enthaupten
[20] penitencia	penitence	pénitence	Buße
[21] pecado	sin	péché	Sünde
[22] pastor	shepherd	berger	Hirte
[23] imponerle algo a alguien	to impose something on someone	obliger quelqu'un à faire quelque chose	jemandem etwas auferlegen
[24] trato	deal	marché	Abmachung

Capítulo V

[1] trigo	wheat	blé	Weizen
[2] pajar	straw loft	grenier à foin	Scheune
[3] posada	inn	auberge	Gästehaus
[4] juglar	minstrel/juggler	ménestrel	Gaukler
[5] advertir	to warn	prévenir	warnen
[6] inofensivo	harmless	inoffensif	harmlos
[7] mentir	to lie	mentir	lügen
[8] clavar	to stick in	planter	stechen
[9] apuñalar	to stab	poignarder	erstechen
[10] sidra	cider	cidre	Cidre
[11] acariciar	to stroke	caresser	streicheln
[12] amamantar	to suckle	allaiter	stillen
[13] serpiente	snake	serpent	Schlange
[14] pecho	breast	poitrine	Brust
[15] derrota	defeat	défaite	Niederlage
[16] payaso	clown	clown	Clown
[17] flaco	skinny	maigre	dünn/mager

ESPAÑOL	INGLÉS	FRANCÉS	ALEMÁN

Capítulo VI

ESPAÑOL	INGLÉS	FRANCÉS	ALEMÁN
[1] caudillo	warlord	chef militaire	Anführer
[2] califa	caliph	calife	Kalif
[3] destino	fate	destin	Schicksal
[4] ambición	ambition	ambition	Ehrgeiz
[5] ceca	mint (for coins)	usine (pour la monnaie)	Münzhaus
[6] vasallaje	vassalage	vassalité	Vasallentum
[7] interponerse	to get in the way	s'interposer	(den Weg) verstellen
[8] mano dura	a hard-liner	fermeté	Härte/Standhaftigkeit
[9] temor	fear	peur	Furcht
[10] razia	raid/plundering	razzia	Eroberungszug
[11] bando	side (in a conflict)	camp	Seite
[12] armadura	armour	armure	Rüstung
[13] túnica	tunic	tunique	Gewand
[14] conde	count	comte	Graf
[15] huir	to run away	fuir	fliehen
[16] tramo	stage	tronçon	Strecke

Capítulo VII

ESPAÑOL	INGLÉS	FRANCÉS	ALEMÁN
[1] maldecir	to curse	blasphémer	fluchen
[2] zanja	ditch	tranchée	Graben
[3] cojear	to limp	boiter	humpeln
[4] gratificante	gratifying	gratifiant	erfreulich
[5] implacable	implacable	implacable	unerbitterlich
[6] trucha	trout	truite	Forelle
[7] sargento	sergeant	sergent	Unteroffizier
[8] orden	order	ordre	Befehl
[9] tasajo	dried beef	viande séchée	Trockenfleisch
[10] leña	firewood	bois	Brennholz
[11] pinar	pine grove	pinède	Pinienwald
[12] apartar	to brush away	enlever	beiseite streichen
[13] tormento	storm	torture	Qual
[14] reprochar	to reproach	reprocher	vorwerfen
[15] sudor	sweat	sueur	Schweiß

ESPAÑOL	INGLÉS	FRANCÉS	ALEMÁN
[16] **retirada**	retreat	retraite	Rückzug
[17] **sepulcro**	sepulchre/tomb	tombeau	Grabstätte
[18] **obispo**	bishop	évêque	Bischof
[19] **fe**	faith	foi	Glaube
[20] **mejilla**	cheek	joue	Wange
[21] **cuidar de**	to take care of	s'occuper de	sorgen für
[22] **infiel**	infidel	infidèle	Ungläubige

Capítulo VIII

[1] **caza**	hunting	chasse	Jagd
[2] **escudo**	shield	bouclier	Schild
[3] **bendición**	blessing	bénédiction	Segen
[4] **guiso**	cooking	ragoût	Eintopf
[5] **malherido**	badly wounded	grièvement blessé	schwer verwundet
[6] **curvo**	curved	recourbé	krumm
[7] **al trote**	at the trot	au trot	im Trab

Capítulo IX

[1] **vencedor**	victorious	victorieux	Sieger
[2] **lava**	lava	lave	Lava
[3] **alfanje**	cutlass	sabre	arabischer Dolch
[4] **indefenso**	defenceless	sans défense	wehrlos
[5] **ariete**	battering-ram	bélier	Rammbock
[6] **minarete**	minaret	minaret	Minarett
[7] **regar**	to irrigate	arroser	bewässern
[8] **botín**	booty	butin	Beute
[9] **pelearse**	to fight	se battre	sich streiten
[10] **jubón**	doublet/jerkin	pourpoint	Jacke/Wams
[11] **anciano**	elderly	âgé	alter Mann/Greis

Capítulo X

[1] **refugiarse**	to seek refuge	se réfugier	Zuflucht suchen
[2] **resplandor**	shining	éclat	Schein
[3] **bronce**	bronze	bronze	Bronze

ESPAÑOL	INGLÉS	FRANCÉS	ALEMÁN
4 **esplendor**	splendour	splendeur	Pracht
5 **suspirar**	to sigh	soupirer	seufzen
6 **lágrima**	teardrop	larme	Träne
7 **escombro**	rubble	décombres	Trümmer
8 **arrastrar**	to pull	tirer	schleppen/ziehen
9 **tragar**	to swallow	avaler	schlucken
10 **saliva**	saliva	salive	Speichel
11 **a rastras**	dragged along	traîner quelqu'un	schleifend
12 **incorporarse**	to lift yourself up	se redresser	sich aufrichten
13 **prisionero**	captive, prisoner	prisonnier	Gefangener

Capítulo XI

ESPAÑOL	INGLÉS	FRANCÉS	ALEMÁN
1 **recuperarse**	to recover	se remettre	sich erholen/genesen
2 **pesadilla**	nightmare	cauchemar	Albtraum
3 **moldear**	to shape	modeler	formen
4 **huérfano**	orphan	orphelin	Waise
5 **vendar**	to bandage	bander	verbinden
6 **abrigar**	to wrap up	couvrir	zudecken
7 **lobo**	wolf	loup	Wolf
8 **echar de menos**	to miss	regretter	vermissen
9 **refrescar**	to freshen	rafraîchir	erfrischen
10 **granja**	farm	ferme	Bauernhof
11 **averiguar**	to find out	découvrir	herausfinden
12 **helarse**	to freeze	geler	zufrieren
13 **delantal**	apron	tablier	Schürze

Capítulo XII

ESPAÑOL	INGLÉS	FRANCÉS	ALEMÁN
1 **guiarse por**	to navigate by	se guider grâce à	sich nach etwas richten
2 **ilusión**	hope/dream	illusion	Hoffnung
3 **sendero**	path	sentier	Pfad
4 **fugitivo**	fugitive	fugitif	Flüchtling
5 **jugarse la vida**	to risk your life	jouer sa vie	das Leben aufs Spiel setzen
6 **cadáver**	corpse	cadavre	Leiche

ESPAÑOL	INGLÉS	FRANCÉS	ALEMÁN
[7] **cuervo**	raven/crow	corbeau	Rabe/Krähe
[8] **buitre**	vulture	vautour	Geier
[9] **latigazo**	whipping	coup de fouet	Peitschenhieb
[10] **garganta**	throat	gorge	Kehle

Capítulo XIII

[1] **plaga**	plague	invasion	Plage
[2] **buey**	ox	boeuf	Ochse
[3] **consolar**	to give solace	consoler	trösten
[4] **encarcelar**	to imprison	emprisonner	ins Gefängnis sperren
[5] **campo**	field	champ	Feld
[6] **ejecutar**	to execute	exécuter	hinrichten
[7] **mezquita**	mosque	mosquée	Moschee
[8] **cotidiano**	day-to-day	quotidien	alltäglich
[9] **capricho**	whim	caprice	Willkür
[10] **traicionar**	to betray	trahir	verraten
[11] **criado**	servant	domestique	Knecht

Capítulo XIV

[1] **mosca**	fly	mouche	Fliege
[2] **hormiga**	ant	fourmi	Ameise
[3] **aplastar**	to squash/to crush	écraser	zerquetschen
[4] **insignificante**	insignificant	insignifiant	unbedeutend
[5] **juego del escondite**	to play hide and seek	cache-cache	Versteckspiel
[6] **provisiones**	supplies	provision	Vorräte
[7] **escudero**	squire/page	écuyer	Schildknappe
[8] **mozo de establo**	stable-lad	palefrenier	Stallbursche
[9] **riqueza**	wealth	richesse	Reichtum
[10] **paje**	page	page	Page
[11] **agotado**	exhausted	épuisé	erschöpft
[12] **descuidado**	unkempt	désordonné	ungepflegt
[13] **malestar**	unease	malaise	Unbehagen
[14] **luna nueva**	new moon	nouvelle lune	Neumond

ESPAÑOL	INGLÉS	FRANCÉS	ALEMÁN
[15] **cuerda**	rope	corde	Strick
[16] **horca**	gallows	potence	Galgen

Capítulo XV

[1] **ganado:**	cattle	bétail	Vieh
[2] **ponerse al mando**	to assume command	commander	die Führung übernehmen
[3] **campamento**	camp	campement	Feldlager
[4] **dragón**	dragon	dragon	Drache
[5] **centinela**	sentry	sentinelle	Wache
[6] **bostezar**	to yawn	bâiller	gähnen
[7] **aliviar**	to relieve	se soulager	erleichtern

Capítulo XVI

[1] **torcido**	twisted	courbé	gekrümmt
[2] **estupidez**	stupidity	stupidité	Dummheit
[3] **justo**	fair	juste	gerecht
[4] **merecer la pena**	to be worth	valoir la peine	sich lohnen
[5] **rodear**	tu surround	entourer	umzingeln
[6] **despejado**	cleared/open	dégagé	frei/leer
[7] **mortal**	mortal	mortel	tödlich
[8] **piedad**	compassion	pitié	Erbarmen
[9] **espolear**	to spur	éperonner	anspornen

actividades

ANTES DE LEER

1. ¿Qué asocias con estos conceptos? Anota todo lo que se te ocurra.

Camino de Santiago:
Almanzor:
Reconquista:
España en la Edad Media:

2. Lee el texto de la contraportada y subraya las cinco palabras o expresiones más importantes. Si lo necesitas, busca su significado en un diccionario.

3. Lee los títulos de los capítulos e imagina un posible argumento para la novela:

Una campana al amanecer / El pueblo muerto / Edurne / En el camino / Vientos de guerra / El Victorioso / Compostela / Guerra / Compostela en llamas / Después de la victoria / Una decisión difícil / En busca de Sancho / El ejército en marcha / El esclavo / Luna nueva / Almanzor

DURANTE LA LECTURA

Capítulos I-IV

4. ¿Quién toca la campana del pueblo y por qué?

5. ¿Por qué ataca Edurne a los dos peregrinos?

6. ¿Por qué van los peregrinos a Santiago de Compostela, según lo que Martín le explica a Edurne?

Capítulos V-IX

7. El capítulo v se titula *Vientos de guerra.* ¿A qué guerra se refiere?

8. ¿Cómo se describe a Almanzor?

9. ¿Crees que es buena idea seguir hacia Santiago de Compostela después de las noticias del peregrino?

10. ¿Qué encuentran los tres amigos al llegar a Compostela? ¿Cómo se sienten?

Capítulos X-XIV

11. Tras la destrucción de Compostela, ¿te parece que Mezonzo es optimista o pesimista? ¿Por qué?

12. ¿Puedes continuar esta frase del libro?

«Martín descubrió con gran dolor que la muchacha que él amaba estaba enamorada de…».

¿Cómo se da cuenta Martín?

13. ¿Qué deciden Martín y Edurne con respecto a Sancho? ¿Te parece que tienen posibilidades de éxito?

14. ¿Recuerdas quién dice esta frase, cuándo y qué significa?

«Si nos capturan, no usarán la horca. Usarán los alfanjes».

Capítulos XV a Epílogo

15. ¿Por qué perdona Almanzor a los tres cristianos? ¿Qué valores demuestra tener?

16. ¿Qué decisión toma Martín para su futuro? ¿Crees que es una buena decisión?

DESPUÉS DE LEER

17. ¿Crees que Sancho está enamorado de Edurne? ¿Por qué?

18. Destaca dos aspectos positivos y dos negativos de la historia. ¿Te ha gustado la novela? ¿Por qué?

19. Escoge dos citas del libro que te parezcan interesantes, explica su significado.

LÉXICO

20. Busca en el libro todas las expresiones que se utilizan para describir a:

Martín:

Sancho:

Edurne:

Almanzor:

¿Cuáles te parecen positivas, cuáles negativas y cuáles neutras?

21. Busca en el libro:

ocho palabras o expresiones relacionadas con el ejército y la guerra:
ocho palabras o expresiones relacionadas con la religión:
ocho palabras o expresiones relacionadas con las emociones:

Luego escoge cuáles de ellas quieres aprender.

CULTURA

22. Los musulmanes vivieron en la península ibérica durante ocho siglos. Todavía hoy quedan muestras de su cultura. Dos de las obras de arte islámico más importantes de Andalucía son la mezquita de Córdoba y la Alhambra de Granada. Escoge una, busca información y escribe un texto sobre ella. No olvides incluir tu opinión.

INTERNET

23. En la web **www.caminosantiago.com** puedes encontrar gran cantidad de información sobre el Camino de Santiago. Escoge un tema que te interese (cultura, naturaleza, geografía, turismo) y prepara una presentación oral, bien en castellano, bien en tu idioma para un amigo que no habla español.